ELLES

Catalogage avant publication de Bibliothèque
et Archives nationales du Québec et Bibliothèque
et Archives Canada

Bray, Julie
    Elles
    (Collection Nouvelles érotiques)
    ISBN 978-2-7640-1449-3
    I. Titre. II. Collection: Collection Nouvelles éro-
tiques.

PS8553.R366E44 2009   C843'.6   C2009-940312-9
PS9553.R366E44 2009

© 2009, Les Éditions Quebecor
Une compagnie de Quebecor Media
7, chemin Bates
Montréal (Québec) Canada
H2V 4V7

Dépôt légal: 2009
Bibliothèque et Archives nationales du Québec

Pour en savoir davantage sur nos publications,
visitez notre site: www.quebecoreditions.com

Éditeur: Jacques Simard
Conception de la couverture: Bernard Langlois
Illustration de la couverture: Corbis
Conception graphique: Sandra Laforest
Infographie: Claude Bergeron

Imprimé au Canada

Gouvernement du Québec – Programme de crédit d'impôt pour l'édition
de livres – Gestion SODEC.

L'Éditeur bénéficie du soutien de la Société de développement des entre-
prises culturelles du Québec pour son programme d'édition.

Nous reconnaissons l'aide financière du gouvernement du Canada par
l'entremise du Programme d'aide au développement de l'industrie de
l'édition (PADIÉ) pour nos activités d'édition.

DISTRIBUTEURS EXCLUSIFS:

- Pour le Canada et les États-Unis:
  MESSAGERIES ADP*
  2315, rue de la Province
  Longueuil, Québec J4G 1G4
  Tél.: (450) 640-1237
  Télécopieur: (450) 674-6237
  * une division du Groupe Sogides inc.,
  filiale du Groupe Livre Quebecor Média inc.

- Pour la France et les autres pays:
  INTERFORUM editis
  Immeuble Paryseine, 3, Allée de la Seine
  94854 Ivry CEDEX
  Tél.: 33 (0) 4 49 59 11 56/91
  Télécopieur: 33 (0) 1 49 59 11 33

  **Service commande France
  Métropolitaine**
  Tél.: 33 (0) 2 38 32 71 00 .
  Télécopieur: 33 (0) 2 38 32 71 28
  Internet: www.interforum.fr

  **Service commandes Export –
  DOM-TOM**
  Télécopieur: 33 (0) 2 38 32 78 86
  Internet: www.interforum.fr
  Courriel: cdes-export@interforum.fr

- Pour la Suisse:
  INTERFORUM editis SUISSE
  Case postale 69 – CH 1701 Fribourg –
  Suisse
  Tél.: 41 (0) 26 460 80 60
  Télécopieur: 41 (0) 26 460 80 68
  Internet: www.interforumsuisse.ch
  Courriel: office@interforumsuisse.ch

  Distributeur: OLF S.A.
  ZI. 3, Corminboeuf
  Case postale 1061 – CH 1701 Fribourg –
  Suisse

  Commandes: Tél.: 41 (0) 26 467 53 33
  Télécopieur: 41 (0) 26 467 54 66
  Internet: www.olf.ch
  Courriel: information@olf.ch

- Pour la Belgique et le Luxembourg:
  INTERFORUM editis BENELUX S.A.
  Boulevard de l'Europe 117,
  B-1301 Wavre – Belgique
  Tél.: 32 (0) 10 42 03 20
  Télécopieur: 32 (0) 10 41 20 24
  Internet: www.interforum.be
  Courriel: info@interforum.be

ELLES

JULIE BRAY

LES ÉDITIONS
Quebecor
Une compagnie de Quebecor Media

Quelques mots

Non, je ne vous avais pas oubliées, mes chéries ! Et vous non plus d'ailleurs, si je me fie à ces récits que vous m'avez fait parvenir avec une régularité qui vous honore.

Nous voilà donc à un nouveau rendez-vous qui nous permettra de partager les récits de quelques-unes d'entre vous, mais où chacune se reconnaîtra, car si ces aventures ont été vécues par certaines, je suis persuadée qu'elles ont été rêvées par beaucoup d'autres. De là, d'ailleurs, cette mince frontière entre réalité et fantasmes.

Et pour être bien certaine que vous serez le plus nombreuses possible à vous retrouver, sinon vous reconnaître dans (et entre !) les lignes de ces histoires, j'ai sélectionné les aventures et les fantasmes autour des thèmes qui reviennent le plus souvent dans vos lettres et vos courriels. Ces récits vous séduiront ou vous intrigueront, je le présume, dans la mesure où ils dévoilent, par leur sincérité, vos grands moments de plaisir érotique, tempérés parfois par des interrogations qui ne manquent pas d'à-propos.

Dois-je vraiment ajouter autre chose, puisque vous me connaissez – que dis-je ! – puisque nous nous connaissons ? Je vous inviterai simplement à parcourir, pour le plaisir, et juste le plaisir, ces histoires de celles qui parlent du désir avec ces mots de notre quotidien, de nos aventures et de nos fantasmes, ce qui en fait des témoignages d'un érotisme inégalable.

Histoire d'une femme sans aucune vertu

Je travaille depuis plus d'un an dans un magasin de prêt-à-porter masculin, et j'ai pris l'habitude de m'assumer totalement, ce qui me convient très bien. Sexuellement, je me suis longtemps satisfaite toute seule, jusque passé la vingtaine. Je restais des heures et des heures dans ma salle de bains où je m'occupais sans cesse de mon corps, à m'appliquer des crèmes, à m'épiler, ou bien à m'adonner à tous les plaisirs solitaires possibles. Je me caressais devant la glace – me regarder, c'était ce qui me plaisait le plus. J'avais un petit miroir qui me suivait toujours durant mes séances d'intimité. Ça me prenait souvent après m'être épilée.

Je mettais une petite culotte sexy et, dans mon petit miroir, je regardais mes doigts qui passaient délicatement sous l'élastique, qui écartaient la culotte et glissaient sur mon clitoris qui se gonflait petit à petit. Le fait de voir le travail de mes doigts s'activant dans le creux chaud de mes lèvres humides me donnait de forts orgasmes comme je n'en ai jamais eus, même avec le meilleur des amants. En réalité, c'est très différent! Plus mes positions se faisaient obscènes et plus ça m'excitait, et j'arrivais à me mettre en transe à un point tel que j'ai ainsi atteint les plus hauts sommets du plaisir! Devant les glaces de l'armoire, c'était encore mieux, car je me voyais en entier. Quelquefois, il m'arrivait de passer devant l'armoire habillée d'une petite jupe sexy et ça me prenait comme ça. Hop, je me retrouvais accroupie, dans une pose bien écartée: j'enlevais ma petite culotte, je me caressais sous la jupe, et au bout de cinq minutes, c'était fini. J'avais eu un super orgasme comme ça. C'est dire si les garçons ne m'attiraient pas plus que ça. J'avais des amants de passage, certes, mais pendant longtemps je suis restée plutôt froide avec les hommes, seules mes caresses pouvaient me donner énormément de plaisir.

Alors, pourquoi aller chercher plus loin? Pourquoi chercher autre chose? Quand on me voit, je fais très *dévoreuse* d'hommes; je me suis toujours habillée très sexy, mais dans le but de me séduire, moi. Les gens pensaient sûrement que j'étais la reine des aguicheuses et que je me tapais plein de mecs. Alors que les mecs ne m'intéressaient pas. Du moins, pas encore.

Pour moi, devenir la petite copine d'Untel, c'était comme si on se mariait ! Je ne voulais pas de ça, je préférais encore rester *vieille fille*. C'est un peu plus tard que j'ai réellement compris que l'on pouvait rester célibataire tout en ayant plusieurs amants, et ce, en toute discrétion et sans jamais être harcelée. C'est seulement lorsque j'ai rencontré Sébastien que les choses ont changé dans ma vie sexuelle.

Sébastien, comme la plupart des garçons que je rencontrais, était un client qui venait souvent au magasin acheter des vêtements. Un jour, il m'a gentiment proposé de m'attendre à la fermeture du magasin pour m'offrir un verre. La plupart des garçons me branchaient comme ça – c'était ce qu'il y avait de plus pratique, évidemment. Mais la soirée que j'ai passée avec Sébastien fut pour le moins... surprenante. Nous avons vite parlé de nos fantasmes et, comme si de rien n'était, en toute sincérité, il m'a avoué qu'il n'était pas très porté sur le sexe, qu'il se contentait souvent de feuilleter des magazines ou de regarder des DVD X. Moi, ça m'a touchée parce que je le comprenais bien. Et c'est ainsi que de confidence en confidence, je lui ai tout raconté sur ma façon de parvenir à l'orgasme. À la fin de la soirée, après de nombreux verres, nous étions devenus en quelque sorte plutôt intimes.

Lorsque nous sommes sortis du bar, il commençait à pleuvoir et la nuit était tombée, aussi m'a-t-il proposé de me raccompagner. À peine avons-nous fait cent mètres que voilà qu'il rabat le pare-soleil, en dirigeant le rétroviseur de telle sorte que j'ai une vue plongeante de mon entrecuisse. Sa main se colle aussitôt sur moi et me caresse fermement à travers mon bas-culotte. Malgré la pénombre du soir, les lumières de la rue suffisent à éclairer ce spectacle qui m'est très excitant. C'était comme ce que je faisais devant mon miroir, sauf que, là, c'était une main étrangère qui me caressait, une main qui n'en faisait qu'à sa tête, une main que je ne contrôlais pas, qui effleurait mon sexe, qui le frôlait sans oser le toucher. Le moment arriva, trop vite, où la voiture s'arrêta devant mon immeuble. Machinalement je tirai sur ma jupe et lui souris, l'air de rien. Il me regardait profondément, lisant le plaisir que j'avais éprouvé durant le trajet: «Je n'ai pas envie de faire l'amour avec toi tout de suite, me lança-t-il calmement.

— Moi non plus», lui ai-je répondu.

Il n'était pas du tout mon genre; en plus, il n'avait rien de très désirable. Il était banal en apparence, mais j'allais par la suite découvrir qu'il était très original et pour le moins inventif. Nous nous sommes donc quittés sur une simple bise, comme si rien ne s'était passé. Mais le contact de sa main à l'orée de mon sexe m'avait cependant excitée et, une fois dans mon lit, cela m'empêcha de trouver le sommeil pendant un long moment, que j'ai passé à me caresser. Le plus curieux, c'est que c'était la première fois que je ressentais une telle frustration, la frustration de l'absence de *quelque chose d'autre*, voire d'*un* autre. Et ça m'a ouvert les yeux.

À notre rencontre suivante, nous avons décidé de nous retrouver chez moi. C'est vrai qu'il ne me baisa pas tout de suite, au sens propre du terme, il se contentait de me passer la main sur les fesses ou sous mon tailleur, et moi, je regardais cet émouvant spectacle dans le miroir accroché au mur. Je voyais ses mains s'attarder dans mon entrecuisse, tout! J'avais hâte de voir ce qu'ils cachaient dans leur pantalon! Ils ont commencé par me détailler avec des yeux gourmands, comme une vulgaire marchandise.

C'est tout juste s'ils ne me bousculèrent pas. C'était hyper excitant, et je comprends ce que ressentent les actrices de films pornos. Nous sommes rentrés très vite dans le jeu et nous y avons pris un plaisir évident. Je jouais la fille pas farouche et me laissais peloter près du canapé tout blanc. Je me comportais comme une vraie putain qui en prenait pour son argent et son plaisir en même temps. Les voilà qui posent leurs bouches dans mon cou, sur mes lèvres, en se regardant, les yeux brillants, ayant l'air de se dire: «On va s'en payer une bonne!» Mettez-vous à la place de ces deux jeunes à qui l'on a offert une fille pas mal du tout et prête à tout! Ils savaient qu'ils allaient me baiser comme la dernière des salopes, mais ils ne m'avaient vue qu'en photo, et moi aussi – Sébastien m'avait montré des photos pour que je sois sûre d'être d'accord avant de commencer. Ils étaient mieux que sur les photos. Quel frisson quand l'un d'eux a passé son doigt dans ma culotte et me l'a enfoncé d'un seul coup dans la chatte! Heureusement, j'étais déjà trempée, et son doigt m'a pénétrée sans peine, me faisant pousser un petit cri qui les a mis dans un état de surexcitation démente. C'était parti pour un tour de piste: je me suis retrouvée les fesses à l'air, avec leurs mains qui m'écartaient la raie devant l'objectif; ils me trituraient les seins et m'attrapaient pour me mettre à genoux. C'était à la limite du viol, ils n'avaient aucun égard et se comportaient en véritables voyous, ce qui m'excitait au plus haut point. Je ne tardai pas à me faire remplir le gosier par leurs grosses queues qui rentraient dans ma bouche à tour de rôle – ma mâchoire a failli décro-

tirer sur l'élastique de ma culotte qu'il faisait rouler jusque sur mes souliers. Il prenait son temps, le salaud! Mais je ne restai pas inactive non plus. À peine ma main avait-elle glissé sous son slip, à peine ai-je senti son membre bien dur, doux et chaud au toucher, que mes doigts se retrouvèrent trempés de tout son sperme qui gicla à flots dans son slip. Ce fut extrêmement court, mais fort en intensité. Tout en me faisant jouir à plusieurs reprises, ses doigts me pénétrèrent profondément et j'eus un violent orgasme. Après, nous nous sommes jetés sur la bouffe dans la cuisine et nous avons déconné, nous avons ri – nous avons beaucoup bu –, nous nous sommes longuement parlé et nous nous sommes endormis comme ça, habillés, en discutant sur le lit. Le matin qui a suivi, je n'arrivais pas à me réveiller vraiment, mais je sentais ses mains qui me parcouraient le corps tout entier cette fois. Je me laissai chavirer entre ses mains, tout en regardant le spectacle dans la glace de l'armoire cette fois. Je ne voyais que ses bras qui parcouraient mes vêtements. Le plus excitant, c'est que je ne voyais pas nos visages. Je voyais simplement mon corps allongé sur le côté, presque habillé, avec les bras d'un homme nu derrière moi en train de passer ses mains partout. Je ne voulais pas bouger, comme pour rester une spectatrice passive, à demi endormie, caressée dans son sommeil. Ses mains me mirent les seins à l'air, les pétrirent sans ménagement, me pinçant les pointes et m'arrachant des cris de jouissance incontrôlables. Son souffle court sur ma nuque accompagnait le spectacle. Ses mains s'agrippèrent à mes hanches, empoignant ma jupe, la relevant sur le ventre, pour se glisser entre mes cuisses et écarter mes jambes encore engourdies par mon sommeil que je tenais à prolonger le plus longtemps possible. C'était la première fois que l'occasion se présentait pour moi de voir sa bite. Je fus surprise de voir un énorme sexe en érection, pointant un beau gland, que j'avais envie de prendre dans ma bouche! Je n'ai pas eu le temps de l'admirer longtemps, car elle disparut brusquement dans ma petite touffe. Je me suis ouverte d'un seul coup et sa bite entra en moi sans peine; la sensation était si forte que j'en avais les tympans qui vibraient! Il m'écartait et me baisait à toute vitesse, en haletant de plus en plus vite. Je sentais une chaleur incroyable dans tout mon corps tandis que son terrible engin me perforait par grands à-coups qui me faisaient gémir.

Il se retira soudain, se mit à genoux sur le lit, me tira par les chevilles tout en me maintenant tout écartée. Mes seins se mirent à riper sur les draps, ma jupe se colla sur ma poitrine. Il me maintint en levrette et se remit à me baiser de plus belle. Mon corps entier se retrouvait secoué comme un petit arbre, mais je gémissais de bonheur, et au moment où j'en réclamais le plus, Sébastien se mit à jouir longuement en moi. Je me suis rendormie quasi instantanément pour me réveiller une bonne demi-heure après, mais Sébastien n'était plus là! C'était presque comme si j'avais tout rêvé, seules les traces de sperme me rappelaient que tout ça était bien réel.

C'est à partir de ce jour que j'ai vraiment ressenti le besoin de la queue d'un homme. Seulement, aucun homme n'avait réussi à me faire jouir comme Sébastien avait su le faire, et de son côté, il n'avait pas encore trouvé de fille qui le fasse vraiment fantasmer. Très vite, l'appareil photo – vive le numérique! – s'est immiscé dans notre vie sexuelle. Sébastien aimait immortaliser mes attouchements en gros plans; il disait que ma petite chatte était très photogénique. Plus tard, nous sommes passés aux choses sérieuses, et il

a commencé à me prendre en photo avec un matériel plus sophistiqué, et surtout, avec des acteurs en plus! J'ai eu, à partir de ce moment, l'impression de rattraper le temps perdu, et je savourais pleinement le plaisir sexuel avec des partenaires qui n'étaient là que pour jouer un rôle devant l'objectif. Sébastien se plaisait énormément dans la peau du photographe voyeur, et moi, je m'envoyais en l'air avec des mecs qui ne demandaient que ça! Pour la plupart, il s'agissait de types rencontrés à son travail ou de mecs qu'il rencontrait à son gym. Il leur parlait de moi comme d'une véritable salope, que l'on pouvait facilement lever; il leur montrait des photos de moi et, comme un copain qui propose une super bonne occasion, un peu comme un service entre chums, il les invitait à notre petite fête! Après, il exécutait son travail de photographe, et moi je jouais sa petite pute. En plu[s] je me faisais prendre sous les projecteurs par des types p[lu]tôt séduisants, car Sébastien me choisissait tout de mê[me] des types de belle apparence et bons baiseurs. Un jou[r il] ramena cependant deux jeunes voyous qui, comme [les] autres, ne se firent pas prier pour participer à notre [...]. C'était pendant un long week-end. Sa mère lui avai[t laissé] les clés de son bel appartement et il voulut faire notre [...] là-bas. L'idée de Sébastien était de réaliser ce qui s'ap[paren]tait à un roman-photo, racontant l'histoire de deux m[ecs qui] sonnent pour livrer un truc, et dès qu'ils entrent dans [l'appar]tement, ils se montrent particulièrement grossiers, [me met]tent la main aux fesses et me baisent comme une [...] dans l'entrée même de l'appartement. Me voilà d[onc à] ouvrir à mes livreurs de plaisir charnel! Les deu[x...] me plaisaient beaucoup: deux costauds, un blon[d aux che]veux courts et un brun aux cheveux longs, mign[on...]

cher sous la pression qu'exerçaient leurs deux bites, en même temps! Et ce salaud de Sébastien qui ne cessait d'en rajouter:

«Allez, défoncez-lui le cul, elle ne demande que ça, cette salope!»

Je voyais qu'il bandait comme un taureau, tout en prenant les photos. Je m'en suis pris plein la chatte et le cul. Je me suis retrouvée à moitié à poil, seul le ceinturon était resté accroché; ça me faisait un mal de chien en fait.

Ce fut une découverte pour moi, qui avais eu du mal à trouver une voie dans le domaine de la sexualité! Sébastien m'a dit qu'un jour il m'offrirait un scénario, filmé cette fois-ci, dont le thème serait le viol d'une petite vicieuse. Il m'a promis que ce serait par des mecs encore plus *hard*. Maintenant, je peux lui faire totalement confiance, car je sais qu'il partage mes fantasmes...

Isabelle

Ma petite robe noire de Noël

Je revis souvent en pensée cette fameuse nuit de Noël. Comme d'habitude, nous avions invité famille et amis à se joindre à nous pour célébrer et festoyer. Malheureusement, une terrible tempête avait sévi – vous savez, le genre «tempête du siècle» –, si bien qu'aucun des invités attendus n'avait pu se présenter à la maison. Faisant contre mauvaise fortune bon cœur, j'ai vu là l'occasion rêvée de tirer profit de la situation. Comme je m'étais préparée à la fête, aussi bien en profiter...

d'autant que personne ne pouvait venir sonner à notre porte et nous déranger...

J'avais déjà prévu porter cette petite robe noire que Mathieu m'avait offerte quelques semaines auparavant. Bien entendu, sous ce bout de tissu moulant, je portais un soutien-gorge noir pigeonnant assorti à une brésilienne. La tenue parfaite pour rendre fou mon chéri, quoi! Voyant qu'il faisait la mauvaise tête, je me suis collée à lui et je lui ai fait part de la nouvelle tournure qu'allait prendre ce réveillon. Nous allions célébrer Noël, oui, mais comme jamais auparavant...

J'ai ouvert la chaîne audio et y ai inséré un CD de jazz langoureux. J'entrepris alors d'onduler de façon languissante devant Mathieu, l'obligeant à rester assis et à me regarder. Je caressais mon corps sans lui donner la possibilité de me toucher. Il n'allait tout de même pas déballer immédiatement ce cadeau qui s'offrait à lui! Je me suis retournée afin de lui faire voir ce petit cul qu'il aimait tant. En glissant mes mains sur mes hanches, ma robe remontait un peu plus sur mes cuisses. Assurément, je lui offrais une vue imprenable! Rien qu'à voir la protubérance qui apparaissait entre ses jambes, je voyais bien que mes déhanchements ne le laissaient pas insensible. Je me suis approchée un peu plus de lui, en l'intimant toutefois de ne pas me toucher, tout au moins pour l'instant! J'ai relevé ma robe, puis je me suis assise sur sa jambe. Je me suis mise à aller et venir lentement, doucement, sur lui. Au même moment, je fis tomber les bretelles de ma petite robe et dégageai mon décolleté pour lui offrir une vue imprenable de mes seins. Mes doigts tournoyaient sur le pourtour de mes aréoles, puis en agacèrent les pointes qui ne tardèrent pas à bander. Il fit bien une tentative pour me toucher, mais je me décollai aussitôt de lui. Non, pas tout de suite. C'est moi qui déciderai du moment !

De nouveau debout devant lui, perchée sur mes talons, j'entrepris de lui offrir un *strip-tease* – c'était la première fois que j'osais. Je l'ai fait sans gêne, j'oserais même dire que je l'ai fait avec effronterie. Je l'ai provoqué, aguiché. Mathieu avait peine à se contenir ! Ses yeux étaient hagards, sa respiration plus rapide. La protubérance dans son pantalon me disait aussi toute son impatience. J'ai alors décidé de l'attirer sur le tapis. Avec empressement – gourmandise dirais-je ! – je l'ai dénudé. Sa queue s'est dressée devant moi. J'eus aussitôt une irrésistible envie de la prendre dans ma bouche, de la lécher, et je ne résistai pas à cette envie ! Je l'ai prise goulûment entre mes lèvres. Elle était douce et brûlante – que j'avais bien attisé mon homme ! On pouvait entendre le bruit de succion que faisait ma bouche sur sa queue. Je m'activais de plus en plus fort. J'avais ses couilles entre mes mains et je les caressais tout doucement. Sachant que si je continuais ainsi il ne tarderait pas à jouir, j'ai retiré son sexe d'entre mes lèvres et je rivai mes yeux aux siens. Il m'a tendrement demandé de le faire jouir :

« Je n'en peux plus, ma chérie ! me dit-il.

— Tantôt... » lui répondis-je d'une voix presque éteinte.

Je fis glisser ma robe, puis je m'agenouillai au-dessus de lui. Je me caressais voluptueusement la chatte d'une main, tandis que l'autre s'égarait dans mes cheveux : il pouvait voir comme j'étais excitée moi aussi. Puis, les yeux brillants, mon regard plongé dans le sien, je me suis accroupie sur lui. J'ai dirigé son sexe sur ma chatte et je m'y suis frottée. Sa queue était enduite de ma mouille, je m'excitais sur lui. Je poursuivis mon manège durant de longues minutes, jusqu'à ce qu'il me saisisse par la taille et m'attire à lui. Profitant de ce que j'étais penchée vers l'avant, il a plongé entre mes lèvres qui s'entrouvraient encore davantage pour introduire son sexe en moi. Aussitôt l'ai-je senti dans mon sexe que j'entrepris de le chevaucher. Je perdais la tête peu à peu, toute à mon désir de lui. Pour mieux le sentir, je laissais sa queue glisser hors de moi, avant de l'enfourner de nouveau avec un peu plus de fougue chaque fois. Je voyais dans son regard qu'il était sur le point de jouir, mais ce n'était pas ce dont j'avais envie ; non, ce que je voulais, c'est qu'il m'asperge de sa semence toute chaude, je voulais sentir cette chaleur sur mon corps, sur mon visage...

Je le retirai de moi, me glissai contre lui tête-bêche et commençai à le masturber en gardant sa queue collée contre ma bouche. Cette idée de me faire éclabousser m'excitait au plus haut point. Mes doigts glissaient sur son sexe, il frémissait. J'ai senti ses fesses se raidir et avancer un peu plus vers moi. Ça y était, je l'avais ! À grand jet, il a éjaculé sur moi. Je l'entendais gémir de sa voix grave. J'étais au septième ciel – c'était aussi excitant pour moi que pour lui ! Il m'a étreinte contre lui, me gardant serrée dans ses bras. Ainsi lestés de cette charge de désir, nous avons achevé ce réveillon de Noël dans les bras l'un de l'autre. Un réveillon qui restera inoubliable...

Marie

De l'électricité dans l'air

Il avait fait chaud et humide. C'était une de ces journées où la seule chose que l'on avait envie de faire était de relaxer et se prélasser au soleil. C'est ce que j'avais fait, accompagnée d'un bon livre et d'un pichet de *sangria* bien fraîche. Plongée dans ma lecture, je ne vis pas le ciel s'assombrir. D'épais nuages noirs avaient sournoisement envahi le ciel, et je sentis soudain une brise chaude se lever, cette brise chargée des effluves annonciateurs de l'orage.

Je respirais cet air parfumé à pleins poumons pour me rassasier; j'aime les orages, j'aime cette énergie qui s'en dégage. J'admire la beauté du ciel sombre qui se déchire en un éclair blanc, montrant ainsi toute la force de la nature. C'est pourquoi, même si je savais que l'orage allait éclater, je décidai de rester à l'extérieur. Le vent était maintenant cinglant et les nuages menaçants étaient de plus en plus gonflés. Les premières gouttes se mirent à tomber et, bien vite, la pluie rafraîchit l'air et mouilla mes vêtements, mes cheveux et ma peau. Les pointes de mes seins, réveillées par cette fraîcheur inattendue, se durcirent. Lorsque le premier éclair fendit le ciel, j'étais complètement trempée. Mes vêtements légers me collaient à la peau. À l'odeur de la pluie se mélangeaient maintenant celles de l'herbe et de la terre humides. Les éclairs s'enchaînaient dans le ciel qui semblait être constamment illuminé. Je me laissai soudain glisser au sol, attirée par cette odeur envoûtante. D'un geste brusque, je retirai mes vêtements trempés. L'herbe humide piquait ma peau. Mon excitation se faisait grandissante. Je me roulai dans l'herbe, puis m'étendis sur le dos, exposant mon corps nu et vulnérable à cette pluie qui tombait de plus en plus dru.

L'orage gagnait en force, et toute cette énergie semblait se déverser en moi. Mes mains se mirent à parcourir mon corps, avide de caresses et de douces tortures. Mes doigts s'arrêtèrent sur mes seins, pinçant leurs pointes dressées, mais ces caresses ne suffisaient pas à nourrir mon envie maintenant presque douloureuse. N'y tenant plus, je laissai mes mains s'aventurer jusqu'à mon sexe avide de plaisir. Mon excitation était si grande que le simple fait d'effleurer mes lèvres humides me fit vibrer. Mes caresses se firent plus insistantes, plus précises, mes doigts fouillaient mon sexe ruisselant et torturaient mon clitoris. Je fus soudain envahie par une vague de plaisir, un plaisir fort, mais si court qu'il me laissa trop peu satisfaite.

Un frisson me ramena à la réalité. J'étais trempée et j'avais froid; mon corps était maculé de boue et mes cheveux étaient emmêlés. Je me redressai et attrapai rapidement mes vêtements, avant de courir à l'intérieur. C'est alors que je t'aperçus, debout à la fenêtre. Sous ton regard, je sentis toute ma vulnérabilité. Je tentai d'expliquer la situation en bredouillant des phrases incohérentes. Mais tu m'interrompis:

«Mon petit animal... Allez, ne reste pas là, tu trembles de froid...»

Je me laissai entraîner vers la salle de bain. Tu ouvris le robinet de la douche et m'y poussas doucement. Le contact de cette eau chaude me fit un grand bien. Tu ne tardas pas à venir me rejoindre.

«Tu es sale à faire peur, ma petite, me dis-tu; laisse-moi arranger ça...»

Avec des gestes doux et aimants, tu lavas mon corps et mes cheveux. Ces caresses réveillèrent mon excitation, et mon sexe redevint aussitôt moite. Apparemment, ce petit rituel ne te laissait pas indifférent toi non plus. J'entrepris alors de te laver à mon tour. Après t'avoir savonné et rincé, je parcourus ton corps de mes lèvres et de ma langue. Ton sexe dressé semblait appeler ma bouche chaude et accueillante. Agenouillée devant toi, j'agaçai le bout de ton sexe avec ma langue, ce qui te fit frémir. Coquine, j'arrêtai mes caresses:

« Tu es cruelle avec moi, me dis-tu, surtout après le spectacle que tu m'as offert sous l'orage... »

Ainsi, il avait réellement tout vu. Je rougis un instant, puis ressentis un frisson de plaisir, sachant bien que ce spectacle l'avait excité. Je repris alors mes caresses, prenant cette fois son sexe à pleine bouche. Je le fis aller et venir entre mes lèvres, le caressai avec ma langue en m'aidant de ma main. Alors que son souffle s'accélérait et que son excitation montait, il me caressait doucement les cheveux.

Le sentant atteindre le point de non-retour, je m'arrêtai encore une fois, le laissant sur sa faim. Je fermai les robinets et lui tendis une serviette en lui demandant de m'essuyer, ce qu'il fit. Après qu'il se fut séché à son tour, je l'entraînai vers la chambre. Par la fenêtre, on pouvait entendre l'orage qui avait repris de plus belle.

Je le poussai sur le lit et étendis mon corps nu sur le sien. Je l'embrassai avec gourmandise, léchant et mordant doucement ses lèvres. Subrepticement, mon bassin ondulait... Toujours allongée sur lui, je fis lentement entrer son sexe en moi, prenant conscience de cette présence qui emplissait mon ventre affamé.

En me redressant, j'accélérai le mouvement de va-et-vient de mon sexe autour du sien. Ses mains enserraient ma taille, dirigeaient mon bassin. Égoïste, je me concentrai sur mon plaisir qui montait de plus en plus vite. Lui, il observait mon visage sur lequel les expressions se succédaient. Je gémis de plaisir et je m'effondrai sur lui, le corps parcouru de frissons...

Il m'embrassa doucement, comme pour me calmer. Puis, après quelques secondes de répit, il me retourna sur le ventre et me fit placer à quatre pattes – il me fit l'amour avec force, comme il sait que j'aime me le faire faire... Ses mains parcouraient mon corps, caressant mes seins et mes fesses. Nos souffles s'accélérèrent, suivant une même progression. Puis le plaisir m'arracha un petit cri lorsqu'il vint en moi. Épuisée, je retombai sur le lit. Il me prit dans ses bras et, comme une enfant, je m'endormis, en rêvant au plaisir...

Brigitte

L'exhibitionnisme, ça m'excite!

L'hiver dernier, je suis allée faire du ski dans les Laurentides avec une amie ontarienne, Cindy, et une bande de copains. À notre arrivée sur place, dans le hall de réception du chalet-auberge, j'eus la surprise de retrouver Virginie, que j'avais perdue de vue à la fin de mes années de collège. Nous tombâmes dans les bras l'une de l'autre et après avoir échangé seulement quelques mots, nous décidâmes de partager une chambre, Virginie, son ami Jérémie, ma copine et moi – l'une de nous dormirait sur le canapé.

Je préciserai toutefois qu'avec Virginie, nous avons eu une période aux alentours de nos dix-huit ans où l'on se *tripotait* un peu. Un après-midi, nous avions même fait des polaroïds l'une de l'autre – il n'y avait pas d'appareil photo numérique à cette époque. Nous avions mis la musique à fond et nous nous étions déhanchées devant l'objectif en nous déshabillant. Bien entendu, une fois notre petite fête terminée, nous avions déchiré les photos.

Dans la chambre, et malgré la promiscuité, Virginie et son copain Jérémie s'envoyaient en l'air avec juste ce qu'il fallait de retenue. Ils attendaient que tout soit calme, endormi, puis nous entendions les draps se froisser, des bruits de salive et des clapotis révélateurs. Je ne pouvais m'empêcher d'imaginer des doigts dans sa chatte humide. Virginie faisait des efforts pour ne pas gémir, mais il y avait toujours un moment où elle laissait échapper un souffle rauque ou un petit cri. Je me caressais discrètement, quoique j'avais compris qu'ils étaient trop occupés pour prêter attention à moi et que Cindy devait dormir.

À mesure que s'écoulait notre séjour, c'était un jeu de me faire jouir en suivant leur baise. J'entendais un gémissement étouffé, je m'enfonçais deux doigts dans la chatte ; Virginie poussait un petit cri, je me pénétrais par le cul de mon plus long doigt. Je dois dire que je passais des bouts de nuit torrides et que Jérémie et Virginie n'étaient pas les seuls à avoir des cernes au petit déjeuner !

Le séjour se déroula tranquillement, sauf un soir où j'eus envie de danser. Je laissai la bande et allai en boîte en solo. Là, je me mis à danser devant un miroir. Quelques types vinrent me coller, mais je les repoussai. Vint un grand mec du genre surfeur des neiges, aux cheveux longs, aux larges épaules et aux longues mains qu'il posa sur mes hanches. Je me laissai faire, même si j'aurais préféré un brin de cour, car ces dernières nuits passées à me caresser dans le noir en entendant les gémissements de Virginie m'avaient excitée. J'avais une envie animale de me faire peloter, qu'on me malaxe... Le mec n'y alla pas par quatre chemins. Il m'emmena aux toilettes, me coinça dans une cabine, tout en m'embrassant à pleine bouche. J'avais chaud et quand il souleva mon pull pour découvrir mes seins, je me sentis toute mouillée dans ma culotte. Il s'occupa de mes pointes un moment, puis d'une pression sur la nuque il me mit à genoux et me présenta son sexe bandé. J'avais l'impression d'être une vraie salope et ça me plaisait. Je n'avais pas ressenti un tel sentiment depuis mon adolescence. Je suçais sa bite en me disant que j'allais ensuite me la faire mettre profond. Il me releva, me colla contre le mur et saisissant mon cul à pleines mains, me pénétra d'un coup. Aussitôt, il devint comme fou : il m'enfonça ses ongles dans la peau, me souleva et me lima en force comme un acharné. Il jouit d'un coup, me laissant sur ma faim. J'étais écœurée. C'était comme d'habitude, un coup pour rien dont on ressort la culotte humide et la libido en berne. Je le laissai partir sans rien dire et me finis vite fait en me caressant le clitoris.

Cet épisode me laissa un peu déconfite. Quand je suis rentrée, tout le monde dormait, même Virginie et Jérémie. J'eus du mal à m'endormir et le lendemain j'avais la tête à l'envers. Les autres se préparaient à partir skier sur les pistes, mais je décidai de rester au chalet, de passer une journée de cocooning. À ma grande surprise, Virginie me demanda si cela ne m'ennuyait pas si elle restait elle aussi. Nous nous retrouvâmes donc toutes les deux dans la chambre. Nous parlions de tout et de rien, évoquions des souvenirs communs, mais bien sûr vint le moment où nous nous sommes remémoré timidement nos attouchements :

« C'était bon nous deux, tu sais, commenta Virginie à voix basse. Quand j'y repense, ça me fait toujours quelque chose. Tu vois ce que je veux dire... »

Pour moi aussi c'était des moments de chaude complicité assez inoubliables. À l'époque, nous n'avions aucune gêne, aucun tabou entre nous. Nous nous caressions de concert et nous ne voulions qu'une chose, jouir et découvrir tout ce qui pourrait nous faire prendre notre pied.

« Tu as déjà recommencé avec une fille ? », me demanda Virginie.

Ça m'était effectivement arrivé à quelques reprises quand je faisais de la natation synchronisée avec une fille à la peau couverte de taches de rousseur qui était folle des peaux et des odeurs de brune. Mais, dans l'ensemble, j'avais surtout besoin de sentir une poigne virile sur mes hanches et un sexe dur entre mes cuisses, du moins c'est ce qu'il me semblait. Pourtant, je ne sais pas pourquoi, je lui dis que non, qu'aucune autre expérience saphique n'était venue s'ajouter à mon palmarès érotique et sexuel.

Elle eut un petit sourire, fouilla dans son sac à dos d'où elle sortit une pochette de photos. « Regarde », fit-elle en minaudant. Elle me tendit des photos sur lesquelles elle était nue dans des positions suggestives. On la voyait en gros plan, en train de pincer les tétons roses de ses seins laiteux. Sur une autre, elle était assise, jambes écartées, et s'enfonçait un gode dans la chatte, tout en se malaxant la poitrine d'un air lubrique. Elle était superbe et je sentis mon clitoris se durcir et ma chatte s'humidifier de mouille.

« Tu es devenue magnifique, lui dis-je en lui prenant la main. Tes seins ont bien grossi.

— Tu veux les voir ? » coupa-t-elle très vite.

Je ne pouvais pas refuser une telle invitation. Elle s'éclipsa pour pousser le verrou et se mit torse nu. Elle me tendit ses tétons que je flattai du creux de la paume jusqu'à ce qu'ils fussent durs, puis, pour la faire languir, mais aussi faire croître mon plaisir, je la fis pivoter en lui flattant la croupe.

« C'est Jérémie qui te prend en photo comme ça ? demandai-je, tout en l'aidant à retirer sa jupe.

— Oui, il adore ça. Celle où je suis avec les godes, c'est la plus *hard* que j'aie faite. Je t'assure que ce n'est pas facile. Par contre, ça m'excite terriblement. Et puis en général, Jérémie craque vite et il me saute dessus avant qu'on ait fini, et il me fait ma fête. »

Elle avait le cul à l'air et ne portait rien d'autre que ses adorables bas de laine noirs qui mettaient en valeur sa peau laiteuse. Je l'attirai à moi et entrepris de lui lécher le creux des reins, tout en lui caressant le haut des cuisses pour lui enfoncer un doigt dans la chatte. Son odeur si familière me ramena des années en arrière. Elle me repoussa gentiment :

« Viens », me dit-elle en me tendant la main.

Elle m'entraîna sur le lit qu'elle partage avec Jérémie et commença à me déshabiller :

« Ta peau est toujours aussi douce, Diane chérie, commenta-t-elle en glissant ma culotte sur mes hanches. Et ta jolie petite chatte serrée... C'est bien dommage que je n'aie pas apporté mes gadgets. J'aurais bien pris ton beau minou.

— Viens là, lui dis-je, impatiente.

— Non, aujourd'hui, c'est moi qui décide comment on fait. Tu vas poser rien que pour moi, enchaîna-t-elle en sortant un appareil photo numérique. Tu vas me refaire le coup du déshabillage en musique. »

Elle appuya sur la touche *play* de la radiocassette posée sur la table de chevet. Une musique *soul*, bien suggestive se fit entendre.

« Regarde-moi, Diane, reprit-elle. Je vais te prendre en photo. Je suis sûre que tu es aussi vicieuse que quand tu plongeais ta main dans ma culotte. C'est pas vrai ? »

J'étais déjà bien chaude et ses paroles m'excitaient encore plus. Je ne voyais pas l'intérêt de faire des mines devant un objectif, mais je crois que j'aurais été capable de tout pour plaire à Virginie. J'avais tellement envie de sentir le goût de sa chatte sur ma langue et surtout de palper sa chair. Je commençai donc à bouger au rythme de la musique. Virginie me donnait des ordres auxquels je me prêtais de bonne grâce.

« Mets tes mains sur ta chatte, tourne-toi, montre-moi ton cul... »

Je trouvais tout cela un peu idiot au début, mais bientôt je constatai que ma photographe tenait son appareil d'une main et se caressait de l'autre. Sa chatte luisait de mouille, et l'idée que c'était moi qui l'excitais ainsi me rendit lubrique. Je me tordis dans tous les sens, lui présentai mes seins que je pinçai fort pour qu'ils pointent. Elle commentait :

« T'es chaude, Diane, t'es juste comme il faut... Là, ce qu'il faudrait, c'est une bonne bite qui t'enfilerait à fond par-derrière comme une chienne que tu es... Ou non, deux grosses bites, hein, qu'est-ce que tu en dirais, chérie ? »

Ses mots étaient comme des caresses électrisantes. Sa main gauche courait sur son corps d'un sein à l'autre, sur le liséré des bas, puis vers sa chatte où elle enfonça deux, puis trois doigts aussi profondément que possible.

La voyant dans cet état, je décidai de continuer sur le chemin de l'excitation. Je pris un flacon de crème pour le corps qui traînait sur la table de nuit et commençai à m'en enduire avec des gestes langoureux. Je me sentais super vicieuse. Mon corps était chargé d'une tension extrême, au point que j'évitais de me toucher le clitoris, car je savais que la moindre caresse pouvait provoquer l'orgasme et je ne voulais pas, pas tout de suite. Soudain, Virginie lâcha son appareil et m'arracha la bouteille de crème des mains :

« Viens là, ma petite salope, ordonna-t-elle en me faisant me retourner sur le ventre. Je vais t'enduire de crème et de foutre. »

Ce disant, elle glissa sa main huileuse dans ma raie et frotta sa chatte humide sur mon cul. Elle me tritura encore un moment le petit trou, et finalement je me suis retournée pour l'embrasser furieusement, tout en m'attaquant aux pointes de ses gros seins laiteux.

On s'est embrassées, caressées, léchées comme ça une bonne partie de la journée. J'ai découvert la saveur de sa chatte avec délices. Et j'ai surtout sucé ses pointes de seins avec ferveur et application. On ne s'est pas prises en photo pendant nos ébats, mais c'est simplement parce que l'appareil a glissé sous le lit et que nous étions trop absorbées par nos coups de langue. On l'a un peu regretté après et on a décidé que ce n'était que partie remise.

À ma grande surprise, Virginie a montré les photos qu'elle avait faites de moi à Jérémie qui s'est révélé très enthousiaste, au point qu'un soir le repas auquel ils me convièrent chez eux se transforma, dans la douceur, en une partie à trois des plus salées. Jérémie est sérieusement membré et adore partager les amies intimes de sa femme. De mon côté, à la suite de cette histoire, j'ai ressenti un véritable besoin de baiser. J'ai suivi mon intuition et j'ai commencé à fréquenter des endroits pour filles. Mon raisonnement était simple : si j'avais pu redevenir une parfaite salope aux côtés de Virginie, peut-être trouverais-je mon équilibre sexuel dans la baise avec hommes et femmes. Et, de fait, j'ai fait quelques rencontres très sympathiques cet été dans des bars lesbiens, et je fréquente une petite prof avec qui je baise les week-ends depuis quelques mois. Nous passons des après-midi à nous caresser, à nous triturer le clitoris et les seins. Mais j'avoue que j'ai quelquefois envie d'une bonne bite que je pourrais dorloter et qui pourrait me transpercer.

Je sais qu'il y a un temps pour tout et pour l'instant, les petits seins de ma prof ainsi que sa langue pointue suffisent à combler mes désirs. Peut-être que plus tard je pourrai partager cette complicité avec un homme...

Diane

Passion fetish entre femmes

Je suis d'origine américaine et ça ne fait pas longtemps que je travaille au Québec, à Montréal plus précisément. J'adore séduire, c'est un jeu qui sied à mon amour du pouvoir. Je suis consciente que je représente un fantasme vivant pour de nombreux mâles. Cela dit, ils ne savent jamais sur quel pied danser, car je laisse planer un mystère, et je ne me laisse jamais aller à trop de familiarité. En fait, mes désirs et mes fantasmes les plus secrets portent sur les femmes. Il n'y a qu'elles pour me mettre en émoi et provoquer ce trouble délicieux, cette douce chaleur au creux de mon bas-ventre et cette moiteur entre mes cuisses. Le milieu où je travaille est tellement conventionnel que je ne peux pas me permettre de laisser deviner cette inclination particulière, mais je dois avouer que je m'adonne volontiers à des rêveries érotiques dès que j'en ai le loisir. Il m'arrive même de fermer la porte de mon bureau pour pouvoir me masturber sans retenue.

Je n'ai pas encore trouvé l'âme sœur à Montréal et les rencontres que j'ai faites dans un club lesbien ne m'ont pas satisfaite. Je rêve d'une histoire avec une femme hors du milieu, quelqu'un qui jusqu'ici ne s'attendait pas à vivre une aventure pareille et que je séduirais. Peut-être une femme qui jusqu'ici aimait les hommes – pourquoi pas ? – et qui, troublée et séduite, plongerait avec délices dans les orgies saphiques. Je lui ferais découvrir des plaisirs secrets, je la caresserais comme seule une femme sait faire, je la ferais jouir comme jamais. Elle serait mon amante, ma maîtresse et me ferait découvrir le frisson délicieux de l'humiliation et de la soumission totale à un être. Moi qui suis blasée, ça m'excite rien que d'y penser. Oui, je lui donnerais tout pouvoir de jouir sur mon corps, de m'utiliser comme l'instrument de ses désirs, quoi qu'elle demande...

Tandis que des scènes torrides se déroulent dans mon imagination en feu, mes doigts s'activent sous la jupe de mon tailleur. Comme je ne porte jamais de sous-vêtements, ils rencontrent les lèvres veloutées de ma chatte que j'écarte très délicatement. Je me mets un, puis deux doigts, tandis que mon autre main se promène de mon clitoris aux bouts durcis de mes seins. Je ferme les yeux en passant la langue sur ma bouche entrouverte et je m'imagine en train de boire avec délectation le nectar musqué qui coulerait du coquillage nacré d'une créature de rêve accroupie au-dessus de moi, tandis qu'elle frotte avec autorité ses lèvres sexuelles sur mon visage et m'ordonne de bien lui lécher la chatte et l'anus.

Je n'ai aucune peine à imaginer la partenaire idéale sous les traits de ma nouvelle assistante. Elle est très attirante et des pensées folles me traversent maintenant l'esprit. J'ai envie de saisir ses seins lourds. Ou je la sucerais jusqu'à ce que les tremblements de ses cuisses m'annoncent les spasmes de sa jouissance. Sa présence éveille en moi des fantasmes obsédants. Je ne sais pas si j'imagine des choses, mais lorsqu'elle s'assoit pour prendre des notes, elle croise les jambes un peu haut – une fois même, l'espace d'un instant, j'ai cru voir sa chatte nue sous sa jupe largement fendue. Bien sûr, au bureau rien n'est possible et je fais tout pour ne rien laisser paraître. Une alliance brille à son annulaire gauche, est-elle une femme fidèle? Je préfère l'imaginer en libertine prête à tout, sans autre souci que de satisfaire le besoin animal impérieux qui lui fouille les entrailles. Je rêve d'une soirée où nous pourrions nous rencontrer dans un cadre différent et où nous nous livrerions sans retenue à la débauche. Dans mon rêve, c'est elle la patronne. Elle m'ordonne de la rejoindre chez elle dans la soirée, car elle a encore beaucoup de courrier à dicter. Un peu surprise, j'accepte, car pour rien au monde je ne risquerais de perdre mon travail. Lorsque je sonne chez elle, elle a troqué son tailleur contre un corset et un string en cuir qui moule son mont de Vénus et souligne sa fente. Ses longues jambes sont gainées de hautes bottes, ce qui lui donne un air encore plus majestueux. Elle se tient les cuisses légèrement écartées avec une lourde chaîne et un fouet en cuir dans ses mains gantées. Elle soulève ma jupe avec le manche du fouet et remonte le long de mes cuisses en me faisant signe de les écarter, d'un mouvement impatient du poignet. Je sens l'objet contre mon sexe. Je vois ses pupilles se dilater comme celles d'un fauve qui tient sa proie. Elle se passe la langue sur les lèvres. Elle murmure que ça fait longtemps qu'elle rêve de mon corps et qu'elle s'est souvent masturbée en pensant à moi. Ce soir, c'est enfin l'occasion d'assouvir ses fantasmes. Tout en parlant, elle continue à me caresser en cercles qui convergent vers mon clitoris. Une douce chaleur m'envahit le ventre.

Un reste de lucidité me souffle de réagir, mais malgré moi mes cuisses s'ouvrent et mon ventre réclame le toucher sensuel du cuir. Soudain, je sens ses doigts gantés écarter mes lèvres et enfoncer le manche dans mon intimité poisseuse. J'ai soulevé ma jupe afin qu'elle jouisse du spectacle obscène. Elle me baise sur un rythme de plus en plus brutal. Je m'empale sur le manche luisant de cyprine. Elle me branle aussi le clitoris et me le pince, en mêlant ainsi le plaisir et une légère douleur. Elle disparaît pour revenir avec un string et un soutien-gorge en cuir qu'elle m'ordonne d'enfiler. Le contact de cette matière sur mes tétons érigés et contre ma vulve moite achève de me mettre en état d'excitation proche de la transe. Les poignets retenus par une chaîne, j'ai tout le corps exposé de façon obscène. Elle m'ordonne de me cambrer pour faire ressortir mes fesses. J'exécute ses ordres, espérant une caresse, mais elle s'éloigne de quelques pas. Le désir inassouvi me fouille le ventre.

Elle se masturbe en me regardant. Je suis le mouvement de ses doigts dans son sexe. Elle semble avoir saisi l'adoration dans mon regard chaviré et me force à me mettre à genoux. Elle me tient par les cheveux et elle plaque mon visage contre son pubis. L'odeur du cuir et le musc de son sexe se mélangent et me montent à la tête. Éperdue de bonheur, je baisse son string d'une main fiévreuse et je la découvre enfin nue, dans toute sa splendeur. Comme dans mes rêves, elle me commande de me coucher par terre afin de me préparer à lécher et à sucer sa chatte. Son ton impérieux ne souffre aucun refus et je me plie avec délectation à ses ordres. Les jambes des deux côtés de ma tête, elle s'abaisse lentement jusqu'à s'accrocher au-dessus de mon visage. Je peux sentir qu'elle mouille déjà. Je ne dois pas tenter de la toucher, mais juste utiliser ma bouche et ma langue suivant ses indications. En fait, c'est elle qui dirige les opérations. Elle a passé une main sous ma nuque pour la soutenir et s'applique à frotter lascivement sa chatte béante sur ma bouche en forçant mes lèvres à s'ouvrir et à la manger. Je prends ses lèvres entières dans ma bouche et je me mets à embrasser ses chairs délicates comme j'aurais embrassé une bouche. J'entends ses râles au-dessus de moi tandis que le doux roulis de ses hanches augmente encore au rythme de son plaisir. Toute sa liqueur odorante de femme me coule sur le visage et aux commissures des lèvres et elle m'en met partout à force de se frotter.

Je ferme les yeux en buvant sa jouissance avec délectation. Mais elle ne s'arrête pas là. Elle s'est maintenant mis en tête de me faire faire une rosette. Avant elle, jamais je n'avais osé lécher une femme de ce côté-là (ni personne d'autre d'ailleurs). Lorsqu'elle présente le trou de son cul à portée de mes lèvres, j'ai un moment de réticence et presque de révolte. Elle a senti mon sursaut, mais sa main de fer sur ma nuque m'oblige à appliquer ma bouche sur ce trou rose qui semble palpiter de désir impatient. Je darde enfin ma langue dans son anus après en avoir léché et embrassé tout le pourtour. Ma reine pratique le *queening* avec *maestria* et me fait goûter alternativement sa fente et son petit trou, d'un mouvement fluide et lascif. C'est divin !

Le temps semble s'être arrêté, rien n'existe plus dans ma conscience que cette vague de plaisir qui nous emporte toutes les deux loin de tout. Je n'ai toujours pas le droit de la toucher, tandis qu'elle-même ne se prive pas pour investir les moindres recoins de mon corps. Ses mains sont partout et quand elle ne me malaxe pas les seins, elle caresse mon ventre ou introduit ses doigts dans ma vulve ou entre mes fesses. Ensuite, elle se masturbe, puis me passe les doigts sur les lèvres pour me faire goûter la saveur de nos deux liqueurs mêlées. Et nous nous embrassons avec passion. Mes poignets sont liés par des chaînes et je suis entièrement livrée à son bon vouloir dont elle n'abuse cependant jamais, malgré la tentation. Aucune caresse, aucun mode d'expression du plaisir à prendre et à donner ne sont tabous entre nous ; c'est l'accord complet, l'harmonie de deux corps dans un ballet à chorégraphie érotique. Je suis heureuse de m'offrir à elle en toute confiance et visiblement ça l'excite fortement de me dominer ainsi.

Ce qui est très beau et finalement assez unique entre nous, c'est que nous sommes très loin des clichés sado-maso où certaines scènes relèvent de la torture physique ou mentale. Ma maîtresse est bien plus subtile que ça, sa domination est essentiellement cérébrale, et surtout, elle est librement consentie et même souhaitée. Il s'agit de me faire vivre une soumission très *soft*, jamais elle ne me fait vérita-blement mal et je lui en sais gré. Cela ne fait qu'augmenter le sentiment de tendresse qui existe entre nous, et je savais au plus profond de mon corps que cette nuit magique où nous avons vécu nos premiers émois dans nos jeux si troublants ne resterait pas unique.

À cet instant, la sonnerie de l'interphone me fait sursauter, interrompant cette rêverie délicieuse. C'est la voix mélodieuse de mon assistante qui m'annonce que les visiteurs que j'attendais sont enfin arrivés. Hélas, le rêve se dissipe déjà, je dois de nouveau faire face aux dures réalités des affaires. Sait-elle que c'est avec elle que je rêve d'avoir rendez-vous? Peut-être un jour devinera-t-elle le désir et l'adoration dans mon regard si j'ose laisser tomber le masque si tièdement impersonnel de la simple sympathie? Je mouille d'avance en pensant à ce que pourraient être nos journées ensemble au bureau. Cela restera-t-il un rêve?

Heureusement que les rêves sont illimités, que je n'ai qu'à fermer les yeux et à commencer le ballet de mes doigts entre mes cuisses pour que nos étreintes aient lieu encore et toujours. Mais un jour, je laisserai la porte de communication ouverte entre son bureau et le mien et je verrai bien comment elle réagira. Je me le promets en me composant un visage pour recevoir mes visiteurs...

Donna

Nouvel An torride

Pour les fêtes, je ne savais pas quoi faire, ni où aller. Je m'y étais prise trop tard pour réserver. Fêter le Nouvel An dans un bar, très peu pour moi. Je n'avais pas envie de m'encanailler. Toutes mes amies, relationnistes comme moi, quittaient la ville pour des soirées où elles avaient été conviées. Moi, je me retrouvais seule et misérable – imbécile que j'étais –, j'avais tout refusé pour vivre ces fêtes avec mon petit ami! Mais voilà, il venait de me laisser tomber. Olivier avait trouvé une fille tout juste sortie de l'adolescence avec qui il était parti en croisière. Il me l'avait montrée. C'était une petite brunette. Ça faisait un peu contraste avec moi qui suis une blonde aux longues jambes fuselées. J'ai aussi des seins en pomme plantés haut. Quant à mes fesses, elles sont fermes grâce à de nombreux cours de gym.

J'étais sûre qu'au lit la gamine était aux ordres d'Olivier. Elle devait le sucer quand il le désirait avec sa petite bouche aux lèvres pulpeuses – je lui souhaitais bon courage, car Olivier est loin d'être un éjaculateur précoce ! Il faut le branler un moment, en malaxant ses couilles horriblement poilues. Bien entendu, monsieur a besoin qu'on lui raconte des histoires cochonnes. Chaque fois que nous baisions, il avait besoin que je lui invente des partouzes auxquelles j'aurais participé derrière son dos. Il adorait surtout quand je me faisais prendre par deux mecs à la fois. Il voulait des détails et quand je décrivais une queue qui me défonçait le trou du cul, il giclait au fond de ma gorge en me traitant de salope. Pauvre petite ! Elle sera obligée de se branler devant Olivier, en insistant sur son clitoris, l'écrasant et écartelant ses grosses lèvres afin qu'il voie bien son anatomie. Peut-être qu'Olivier avait apporté ses godes. Le premier est lisse; un autre ressemble à une pine d'acteur porno et est muni de protubérances. Il me l'a fait essayer et je dois bien reconnaître qu'il m'avait rendue folle de plaisir. Quant au dernier engin, il s'agit d'un gros boudin translucide et un peu mou qui s'introduisait difficilement entre mes lèvres, car il ondulait sans arrêt. Le contact était bizarre, à la fois doux et tiède. Olivier se branlait en me regardant me goder. Mais c'était un amant inventif et sa soudaine trahison me laissait comme un goût de cendre dans la bouche. Bref, je n'étais pas dans de bonnes dispositions pour fêter l'arrivée de la nouvelle année, on l'aura compris.

Cependant, plus la journée avançait, plus je me sentais fébrile. Il y avait de la joie partout et ça commençait à agir sur moi. C'est pour cette raison que j'ai enfilé une robe rouge avec un bustier, façon Wonderbra, qui tenait fermement mes seins. J'ai ajouté une ceinture d'anneaux dorés. Sur mes épaules, j'ai passé une petite veste écarlate. J'ai agrémenté mon cou d'un foulard sur lequel j'ai attaché une frise dorée qui tenait mon bustier à l'aide d'un cordon fait de fausses boules, également dorées. Bien entendu, pour compléter le tableau, j'ai enfilé des bas noirs, une paire de souliers à talons aiguilles qui m'ajoutaient quelques centimètres et je me suis aspergée de Chanel, afin de faire plus classe. Ensuite vogue la galère! J'avais décidé de me balader dans la ville, le nez au vent, en quête d'une bonne fortune.

Il m'a fallu une heure à peine pour me retrouver dans la cour d'un grand hôtel. Je m'y étais glissée pour un besoin pressant et, je l'avoue, pour tenter d'entrer par la porte de côté. J'ai toujours aimé me promener dans ces endroits, incognito. C'est alors que suis tombée sur une étrange scène. Près d'une Porsche se tenait un couple. Lui portait un costume classique d'un beau noir sur une chemise blanche. C'était un homme relativement jeune, aux cheveux châtains et aux traits réguliers. La femme qui lui faisait face était une Noire sublime dans un fourreau qui la transformait en tigresse. Mais elle n'était pas contente et elle a donné à son copain une retentissante gifle, avant de le quitter. En passant devant moi, elle m'a jeté d'une voix ironique:

« Si vous le voulez, je vous le cède. C'est vraiment un petit con ! »

Je me suis approchée de l'homme et j'ai posé la paume de ma main sur sa joue douloureuse.

« Je sais guérir les blessures de cœur… et d'amour-propre, ai-je dit en souriant. Il a ri et m'a dit qu'il s'appelait Frédéric.

— Ça vous dirait de partager ma soirée ? »

J'ai accepté et il m'a entraînée dans l'hôtel où il occupait une suite. Il m'a proposé de manger, mais j'ai secoué négativement la tête :

« J'ai envie de quelque chose de plus agréable. »

Il m'a brièvement inspectée. J'ai dû lui convenir, car nous sommes immédiatement montés au deuxième étage. Tout le couloir était capitonné. C'était un véritable appartement, décoré à l'ancienne – vous savez certainement de quel hôtel de Québec je parle. Il y avait des bougeoirs un peu partout, et des boiseries d'un blanc écru donnaient un air de patine à l'endroit. Alors que Frédéric s'avançait vers le bar, je l'ai arrêté et je l'ai embrassé, très lentement, en me serrant contre lui. J'ai immédiatement senti la bosse qui grossissait à la hauteur de sa braguette. Il embrassait bien, le Frédéric ! Sa langue s'était nouée à la mienne et il m'a caressé les seins, puis les fesses. Il a soudain réalisé que je n'avais pas de culotte. Il s'est écarté, l'œil froncé :

« Tu n'es pas une pute, au moins ?

— Pas dans le sens que tu crois, ai-je rétorqué et je me suis mise à genoux devant lui, dans l'intention de lui sucer la queue.

— Attends. On va se mettre dans la chambre. C'est mieux sur un lit...»

J'ai remarqué près du lit une grande glace scellée au mur. Une autre décorait un petit meuble dans un coin de la chambre. Alors que Frédéric faisait mine de se rapprocher de moi, je l'ai fait tomber sur le lit et, aussitôt, je lui ai grimpé dessus. J'ai ouvert sa braguette et sorti une belle pine. Elle n'était pas énorme, mais toute chaude et elle enflait très vite. J'ai fait aller et venir ma main sur le gland, après l'avoir abondamment lubrifiée. Frédéric se laissait faire en gémissant. Quand sa bite a été correctement dressée, j'y ai mis les lèvres. Olivier m'a toujours dit que j'avais une bouche de suceuse diplômée – et l'homme était sûrement d'accord avec ça. J'ai avalé sa queue plusieurs fois, usant de ma langue pour agacer le prépuce, mes doigts fourrageant dans ses bourses qui sont devenues dures et épaisses. Après quelques allées et venues, Frédéric m'a demandé d'arrêter:

«Mon ex-copine n'avait pas les lèvres aussi tendres, a-t-il constaté. Je veux voir si ta chatte est différente de la sienne.»

Il m'a gentiment repoussée et je me suis à moitié affalée sur le lit. Il a tiré sur mon corsage et il a sucé mes mamelons. Ceux-ci sont très sensibles. Dès qu'il les a touchés, j'ai senti des flammèches électriques me parcourir.

«Oui... Vas-y... Encore...»

Quand Frédéric s'arrêtait pour reprendre son souffle, il susurrait :

« Ta chatte me fait penser à une belle huître… Et ta perle, je suis certain que de l'avaler ça va lui faire du bien. »

Il a aussitôt aspiré mon clitoris. J'ai poussé un cri, car mon bouton a toujours été très sensible. J'ai joui très vite et j'ai refermé les cuisses autour du visage de Frédéric. Il s'est dégagé et s'est faufilé jusqu'à moi.

Nouveau baiser, cette fois plein de mouille. Pendant ce temps, pour qu'il ne débande pas, je le branlais légèrement.

« Tu es un bon coup.

— Toi aussi. Ta copine est dingue de t'avoir giflé… Il prit un air de gamin :

— Elle ne voulait pas qu'on baise ce soir. Elle disait que ça portait malheur.

— Ce n'est pas mon cas », ai-je dit en me trémoussant sur le lit. J'ai ouvert mes jambes pour qu'il admire ma chatte. Dans le mouvement, mes grosses lèvres se sont défripées. J'étais sûre qu'on voyait l'entrée de mon vagin :

« Ça te tente ? »

Il a rugi en se glissant derrière moi. J'étais sur le côté, tournée vers la grande glace et lui, il venait d'insinuer sa pine dans ma chatte dilatée. Je me suis vue en train d'être pénétrée ; ses couilles épaisses, sa tige entrant et sortant de mon sexe.

Pendant qu'il me baisait, il n'oubliait pas de me toucher les seins, de m'embrasser un peu partout. Je sentais son sexe qui entrait et sortait. Parfois la bite restait immobile, à l'orée de ma fente. Je n'étais alors guère patiente. Je lui demandais d'y aller, en termes grossiers, car je perdais peu à peu la tête :

«Qu'est-ce que tu attends? Pine-moi! Je n'attends que ça. Pense à ta copine que tu fais cocue. Ça te donnera du courage!»

Mes propos lui mettaient le feu au sexe. Il a commencé à me fourrer avec une telle fougue que je valdinguais de chaque côté. Frédéric se tenait à ma taille, triturant mes tétons à me faire crier de douleur. En même temps, il me disait des grossièretés à l'oreille, de sorte que j'ai joui deux fois avant qu'il se répande.

J'étais éreintée, aussi ai-je plongé dans un profond sommeil. Je ne me suis réveillée que deux heures plus tard. Frédéric était toujours contre moi, la queue légèrement flasque. Il ronflait. Je l'ai secoué, constatant qu'il n'était pas encore minuit :

«On ne va pas commencer l'année en ronflant, allez, réveille-toi!»

On a quand même dû boire quelque chose pour se donner un coup de fouet. Puis je lui ai demandé ce dont il avait envie.

«Mets ton cul de trois quarts, face à la grande glace. Après, tu écartes bien afin qu'on voie ta raie luisante, hein, petite salope. Une fois que tu auras fait ça, je t'enculerai... Mon ex-copine a toujours refusé que je la sodomise.

— O.K. Mais tu iras doucement avec moi...»

J'ai cédé à son délire. Je me suis mise à quatre pattes sur le lit, les reins creusés. En tournant la tête, on voyait bien mes fesses et l'œillet. J'ai tenté de me décontracter pour que sa bite ne me fasse pas mal. Lorsque Frédéric a posé son gland contre mon petit trou, ma gorge s'est serrée – jamais je n'arriverais à avaler cette pine. Aussi lui ai-je demandé de me parler de sa copine. Il a commencé à dire que c'était une suceuse de bites, qu'elle avait toujours la chatte en chaleur et qu'elle était prête à se faire prendre devant lui par d'autres mecs.

«Mais elle refuse que je la mette par le cul», a-t-il continué, en forçant mon anus...

Il y allait avec lenteur et j'ai senti que je m'ouvrais. Mes parois se sont distendues et le gland a forcé un passage puis la tige l'a suivi. Quand il a cogné mes fesses de son ventre, j'étais heureuse qu'il soit en moi, aussi en ai-je profité pour me caresser le clitoris. Après, Frédéric a simplement bougé un peu et il a joui, se répandant dans mes entrailles. C'était presque brûlant...

Nous avons fait une nouvelle pause et puis l'année nouvelle est arrivée.

«Je t'ai fait un cadeau, m'a dit Frédéric. J'avais prévu baiser ici avec ma copine. Derrière chaque glace, il y a un opérateur qui a pris des photos. Je te les offre en souvenir.»

J'étais tellement bien que j'ai accepté son cadeau.

Véronique

Ma copine bien-aimée

On avait l'atelier pour tout le week-
end. À vrai dire, on avait toute la
maison, les parents de Michèle
étaient partis à New York. Mais
c'est l'atelier qui nous intéressait. On adore bricoler et son
père a beaucoup d'outils.
Mais il est maniaque et il
nous surveille comme... du
lait sur le feu ! Là, on pouvait faire ce qu'on voulait
pendant deux jours. Jus-
tement, on venait de
me donner une
vieille commode,
mais il fallait
retaper les pieds
qui étaient fou-
tus. On s'est
mises à travailler
sérieusement, mais
ça a dégénéré quand

Michèle a dit que je ne serais pas capable de travailler cul nu. J'ai soigneusement plié mon pantalon de survêtement et je suis retournée à l'établi. J'étais chouette, en tee-shirt avec mes baskets montantes et les fesses à l'air. En tout cas, je savais que Michèle ne résisterait pas longtemps. Et ça n'a pas manqué. En passant derrière moi, elle m'a flatté la croupe. Je ne dirais pas que ça ne m'a rien fait. Au contraire. J'adore qu'on me caresse les fesses. Mais j'ai fait semblant d'être indifférente. Ça a vexé Michèle, et, en repassant derrière moi, elle m'a balancé une grande claque sur le cul. Ça m'a fait rater ce que j'étais en train de faire avec le rabot.

«Allez... les mauvaises ouvrières ont droit à un gage!»

On a éclaté de rire toutes les deux, et elle est venue m'embrasser délicatement avec de petits baisers mouillés comme j'aime, avec la pointe de sa langue. Ça a commencé à me chauffer un peu, surtout qu'elle appuyait ses gros seins contre ma poitrine en chuchotant des cochonneries.

«C'est quoi le gage?» ai-je demandé.

Elle n'a pas répondu. Elle n'y avait même pas pensé. Elle s'est éloignée un peu, en gardant au creux de sa main toute ma vulve qu'elle tenait par les poils. Puis elle a glissé le bout du doigt entre mes grosses lèvres qu'elle a étirées un peu.

«Il ne t'en faut vraiment pas beaucoup, hein ma petite cochonne, tu es déjà toute mouillée.»

C'est vrai que ça me faisait de l'effet de me retrouver à moitié à poil dans la cave de la maison de ses parents avec Michèle qui m'embrassait en mettant sa main entre mes cuisses. J'ai tendu mon ventre vers l'avant en écartant un peu plus les cuisses – j'avais envie qu'elle me caresse mieux. Plus profondément et plus loin. Elle a eu un petit rire silencieux en comprenant mon manège et elle a appuyé sur la pointe de mes seins qui tendaient le coton du t-shirt.

«Tu bandes même des seins, tu ne peux pas t'en empêcher, hein?»

Elle a relevé mon chandail. Je ne porte jamais de soutiengorge, ça ne vaut pas le coup, mes seins sont trop petits. Avant que j'aie pu comprendre, elle avait saisi deux petites pinces douces qui servent à fixer les assemblages délicats et elle les avait ajustées sur mes tétons. J'ai poussé un petit cri, mais sans raison. C'était à peine une légère piqûre. Comme une bouffée de chaleur qui enflammait toute ma poitrine. Les pinces pressaient le bout des tétons qui n'en paraissaient que plus gros et plus turgescents. Plus durs aussi. Michèle a fait tourner les pinces sur elles-mêmes. Là, j'ai vraiment gémi. Et ce n'était pas de douleur. Il y avait de grandes ondes de plaisir qui me traversaient toute la poitrine en rayonnant. Je n'étais plus seulement un peu humide de désir. Je sentais mon jus qui coulait à l'intérieur de mes cuisses. Une vraie fontaine.

«Ne crois pas que tu vas t'en tirer comme ça, c'est seulement le début du gage! Allez, tourne-toi.» Elle a écrasé mon buste sur l'établi. Quand elle a dit: «Tu as un beau cul quand même», j'ai compris que ça faisait plus ressortir mon derrière. Et en même temps, ça devait l'ouvrir un peu. J'ai cru qu'elle voulait voir ma chatte par-derrière. Elle aime bien ça. Mais c'était autre chose. Elle a ouvert mes fesses à deux mains. J'ai voulu me redresser, mais avant même que j'aie fini de relever les épaules, elle commençait à m'enfoncer dans le cul le manche en bois d'une lime qui traînait sur l'établi. Je n'ai pas eu le courage d'opposer de la résistance.

«Sens comme ça rentre bien, ça a été poli par la main de mon papa depuis des années...»

Ça glissait dans mon cul comme un vrai velours. Quand le manche a été presque entièrement dedans, elle m'a mise de profil devant un vieux miroir. On voyait très bien la longue lime très fine qui sortait de mes fesses. Jusqu'à présent, Michèle s'était servie uniquement de ses doigts pour prendre mon cul, c'était la première fois qu'elle utilisait un instrument et c'était... fabuleux. J'avais l'impression d'être à la limite du plaisir, vraiment tout au bord. Il suffisait d'un rien pour me faire basculer.

«Écarte bien tes jambes et regarde-toi dans la glace si tu veux, me dit-elle, en mimant un va-et-vient avec le manche de l'outil. Regarde, en plus, je vais te faire une petite gâterie...»

Elle se pencha alors devant moi, colla son visage contre ma chatte et enfonça sa langue dans ma fente, ça a été un vrai miel liquide. Une coulée d'une inimaginable douceur. Mes genoux tremblaient si fort qu'il a fallu que je me retienne des deux mains à l'établi. Je n'étais pas certaine qu'elles continuaient à me porter. Je mouillais tout son visage de mon plaisir. Et quand elle a pris la lime par le bout pour la remuer de haut en bas, quelque chose a explosé dans mes reins. Comme l'éclatement multicolore d'un feu d'artifice qui a illuminé tout mon ventre. Avec des flammèches en suspension qui n'en finissaient pas de retomber.

J'ai sangloté de plaisir en serrant très fort sa tête sur mon bas-ventre.

Gabrielle

Club sandwich

Je suis mariée avec Jean-Luc qui a quarante-trois ans. Cela fait maintenant douze ans que nous sommes ensemble, pour le meilleur comme pour le pire, quoiqu'avec Jean-Luc, c'est plutôt pour le meilleur. Il est l'homme idéal, en quelque sorte, d'abord parce que c'est un très bel homme, mais aussi parce qu'il est fort attentionné. Et le petit plus, c'est qu'il a une très bonne situation, ce qui pour moi, vous comprenez, ne gâche rien. Cependant, ce qui me fait résolument craquer chez lui, c'est son ambivalence: d'un côté, c'est un homme classique et plutôt bourgeois, et de l'autre, il est imaginatif et assez vicieux, ce qui fait de lui un très bon amant qui, m'ayant connue à dix-neuf ans et avec très peu d'expérience, m'a très vite éduquée aux divers plaisirs du sexe pour le sexe.

Au début, nous faisions l'amour de façon certes hardie, mais toujours entre nous. Il est vrai qu'avec le recul, il s'est en quelque sorte occupé de ma *formation*. Tout commença par le fait que Jean-Luc savait me mettre à sa merci, totalement offerte et docile, car en plus de sa queue impressionnante, il a une langue incroyable. Ce qu'il adorait, c'était par exemple me voir les jambes écartées, me caressant le clitoris, ou bien m'enfonçant légèrement un doigt dans l'anus, ce qui ne m'indisposait nullement puisque j'aimais – et j'aime toujours – me caresser devant lui. Certes, il bandait, mais il attendait pour me prendre que mes orifices soient luisants de plaisir et de désir. Et j'attendais impatiemment le moment où, enfin, il allait y enfoncer sa langue, une langue bien dure qu'il aimait faire aller et venir en moi. Il me travaillait aussi le sexe et le cul avec les doigts, il me faisait mouiller, je me tordais, et lui multipliait les baisers et les caresses. Il aimait me voir comme une femelle en manque, en train d'implorer une saillie ; je cherchais alors avec mes mains son sexe, je voulais qu'il me le donne, qu'il me l'enfonce d'un coup, et c'est ce qui ne tardait jamais à arriver.

Mais un jour, ce ne fut pas son sexe qu'il m'enfonça, mais un truc beaucoup plus gros. Il avait acheté un gode de bonne taille et d'une longueur à l'avenant. Lui-même avait, de ce côté-là, un membre imposant, ce qui m'obligea d'ailleurs à un entraînement intensif afin d'arriver à l'avaler en entier, car en dehors d'aimer me baiser par-devant comme par-derrière, Jean-Luc ne se prive pas pour m'enfoncer sa queue dans la bouche pour que je le suce. Il a même eu recours à une nouvelle idée: une sangle avec un anneau qui me maintenait ouverte comme jamais. Et là, la nouvelle idée: il décidait, comme il me l'expliqua, de commencer à me dilater car, disait-il, au bout d'un moment, sa queue ne suffirait plus à mon désir. Ce nouveau jeu, aussi insolite puisse-t-il paraître, me rendit encore plus gourmande. Nous passions des soirées à nous amuser avec, et il immortalisait ces moments de défonces en prenant des photos de moi dans diverses positions, engodée ou enfoutrée. Très vite, la vidéo remplaça l'appareil photo, et cela modifia beaucoup de choses, car nous étions tous les deux à la fois exhibitionnistes et voyeurs. De plus, j'aimais, autant que mon mari, me revoir après. Et c'est là que je décidai de m'épiler complètement pour qu'il puisse mieux filmer.

En me voyant la première fois complètement imberbe, il devint fou, me filmant en gros plan afin de mieux voir le gode entrer côté chatte ou s'enfoncer côté cul. Je continuais à me branler devant lui, puis je me plaçai, par terre, sur le dos; lui était debout, en train de filmer. Je pouvais alors, en regardant entre mes cuisses, voir sa bite raide et ses couilles lourdes au-dessus de moi. Puis je sentis qu'il posait la caméra sur le sol, entre mes cuisses, et je le vis alors s'allonger tête-bêche sur moi et commencer à me lécher le clitoris. Tandis que sa langue commençait à m'explorer, j'aspirai sa queue; je lui malaxais les testicules. Il s'affaissa encore davantage quand je commençai à lui tirer les bourses vers l'arrière. Je tentai un doigt: il était moite. Il se releva un peu, et je me suis mise à lui lécher l'anus consciencieusement, tout en continuant à le branler. Puis je me mis carrément à lui lécher le cul ; il en fit autant. Plus je bougeais, plus il me doigtait et me léchait. Moi, je jouissais d'orgasmes foudroyants, les jambes écartées comme la dernière des salopes. Je sentis une secousse et, dans un sursaut, il éjacula sur moi. À chaque jet, j'enfonçais de plus en plus mes doigts : il hurlait de plaisir. Je ne vous dis pas avec quelle curiosité nous avons visionné tout ce que nous avions filmé ! Les choses n'ont cessé d'aller de mieux en mieux entre nous ; nous n'avons aucun secret l'un pour l'autre – nous avons même découvert les plaisirs de la bisexualité.

Nous avons d'ailleurs une multitude de combinaisons à notre actif ! Au départ, nous avons commencé à trois, avec un autre mec – c'était mon fantasme. Nous chassions le week-end dans les bars ou les clubs. Le type devait être jeune et beau, et aimer le plaisir à trois. Si c'est moi qui avais manifesté le désir de réaliser ce fantasme, Jean-Luc n'était pas en reste puisqu'il adorait voir un mec me baiser, pendant que lui me léchait la chatte, et même la bite du mec qu'il voyait s'enfoncer. Jean-Luc poussa le jeu jusqu'à me faire sauter par deux hommes, sans que lui participe directement. Jean-Luc aime voir deux jeunes bites s'exciter sur moi, deux bites me prendre en même temps, une dans ma chatte, l'autre dans mon cul. Voir ces deux culs de mecs qui me pénètrent, ça le rend complètement dingue d'excitation !

Il n'y a pas longtemps, nous nous sommes offert un week-end libertin à l'étranger. Il faut être discret, vu la situation de Jean-Luc. Et histoire de changer d'endroit et de gens, nous avons décidé d'aller à New York, pour baiser à satiété. Dans certains endroits de la ville, ils comprennent véritablement le sens du mot *libéral*. Nous y sommes restés une semaine, dans un très bel hôtel. À la réception, ils nous ont fourni de bonnes adresses, et le soir même nous étions dans un restaurant particulier, où nous avons pu assister à un show de nu intégral. Les serveurs et serveuses étaient eux aussi nus, sauf un tout petit string. Nous sommes donc sortis un peu excités par cette ambiance inattendue, et la vodka nous ayant un peu échauffé l'esprit, nous sommes allés à la deuxième adresse.

Il s'agissait d'un club échangiste, mais comme l'ambiance était plutôt quelconque nous n'avons pas tardé à repartir, non sans mettre la main, à la sortie, sur un prospectus qui vantait un endroit *spécial* dont l'hôtel ne nous avait pas parlé. Un taxi nous y a conduits en quelques minutes. Aussitôt le taxi s'était-il arrêté pour nous déposer que nous avons constaté que l'endroit semblait correspondre à nos attentes, ne serait-ce que par sa devanture sobre et de bon goût. À l'intérieur, il y avait une ambiance très sympathique et surtout très hétéroclite : on y trouvait des lesbiennes, des travestis, des hommes et des femmes comme nous, bref une mixité qui faisait que les contacts étaient assez faciles. Certains types étaient de très beaux gaillards. J'avais un jeu avec Jean-Luc : je mettais mes charmes en valeur, car je suis plutôt mignonne, j'attisais les regards masculins et nous attendions les réactions. Deux types ont vu tout de suite notre manège et ils nous ont proposé de boire un verre à leur table. Ils étaient Américains : c'étaient deux frères, et ils parlaient assez bien français, ce qui fait que nous avons pu discuter de choses et d'autres, mais surtout de nos envies réciproques.

Les Québécois sont en général bien appréciés d'après ce qu'ils nous disaient, et la gourmandise d'une jolie Québécoise n'était pas pour leur déplaire ! Tout en parlant et buvant, je commençai à toucher un torse, un bras, pour finir avec ma main entre leurs cuisses. L'atmosphère était plutôt chaude. Jean-Luc invita nos amis à venir boire un dernier verre à notre hôtel. Le groom nous amena une bouteille dans notre chambre. Il était lui aussi assez mignon, et se doutait probablement de ce qu'il allait se passer. Je mis la télé en marche, histoire d'avoir des clips sur MTV, puis, tout en buvant mon verre, je me suis mise à bouger, à onduler, en me dirigeant vers le lit.

J'ai commencé à me déshabiller tout doucement, faisant glisser ma veste, ma robe : je laissai sortir ma poitrine de mon soutien-gorge, j'entamai devant eux un massage de mes tétons. Je voyais les mains des deux Américains qui touchaient leur bite à travers leur pantalon, et ce spectacle m'excitait. Je commençai à écarter mes jambes et à tirer sur la ficelle de mon string, afin qu'elle rentre bien, enfoncée dans ma raie. Je voulais qu'ils voient bien ma chatte épilée, qu'ils salivent à l'idée de me baiser tous les deux. Ils se sont approchés, je leur ai dit qu'eux aussi devaient me faire un *strip-tease*, ce qu'ils acceptèrent volontiers. Voir ces deux beaux gars se déshabiller en bougeant sur le rythme faisait croître mon désir. Ils étaient là, devant moi en slip – leur slip d'ailleurs bien distendu par leur queue bandée. Je voyais que Jean-Luc était à poil sur le canapé, le caméscope à la main, en train de filmer la scène. C'est là que je me suis approchée d'eux et que je leur ai baissé le slip l'un après l'autre, comme pour une visite médicale ! Ils sont restés debout et j'ai commencé par palper chacun d'eux, faisant des comparaisons – ils avaient vraiment de belles queues tous les deux.

Je me suis mise alors à en lécher un, tout en caressant l'autre. Au bout d'un moment, ils m'ont attrapée et m'ont jetée sur le lit. Ils m'ont saisie avec fougue, et pendant que l'un me tenait les jambes en arrière et que je le suçais, l'autre me léchait et me doigtait en même temps. Il avait de gros doigts, et simulait littéralement la baise rien qu'avec ses doigts, me les enfonçant de plus en plus loin et de plus en plus fort en moi. Remarquant que j'étais bien offerte et que je pouvais tout encaisser, il changea de position avec son frère qui était très large. Il se positionna à l'entrée de mon petit trou et se mit à pousser. Je sentais rentrer sa bite : elle était dure, elle s'enfonçait au fond de mon trou. C'est alors qu'il commença à aller et venir assez vite, puis encore de plus en plus vite ; j'allais me faire défoncer le cul ! Le frère n'en perdait pas une miette, il se retourna et me fit sucer sa queue, tout en se branlant au-dessus de mon visage. J'avais le souffle coupé, je n'arrivais même plus à sucer, tellement la cadence s'accélérait, mes seins ballottaient au gré du rythme quand soudain, il sortit de mon cul et s'empala d'un trait dans ma chatte toute ruisselante.

Je crus éclater. J'avais l'impression de n'être qu'une poupée molle, écrasée par ses violents coups de bassin. Je me suis dit qu'à cette cadence folle, il n'allait pas tarder à éjaculer, mais pas du tout ! En fait, il fit un signe à son frère qui, comme un ressort, a retiré sa queue de ma bouche pour vite prendre sa place. Ma bouche et mon cul étaient à eux deux et ils se sont mis à me baiser comme des dingues. Puis celui qui était en train de me baiser la chatte s'est allongé, et je me suis empalée sur lui, tandis que l'autre s'est mis derrière, à moitié sur moi, et a commencé à prendre sa queue dans sa main et à me sodomiser.

J'étais dilatée, j'avais la sensation qu'ils étaient trop gros, mais je ne pouvais rien faire, j'étais comme maintenue, coincée en sandwich, l'un me martelant le cul, la bite de l'autre me baisant la chatte en m'écartant les fesses à fond de ses deux mains larges et décidées. Alors qu'ils étaient au plus profond de moi, ils se sont mis à jouir : les râles rythmaient le battement lancinant de leur queue raide en moi. J'étais plus que comblée lorsqu'ils se sont retirés, éreintés. Le ronronnement du caméscope se tut.

Pour l'instant, cette incroyable expérience me suffit largement, mais ce qui me fait le plus d'effet, c'est quand je revois la scène filmée, bien à l'aise dans mon salon. Là, plutôt que d'inviter des connaissances, Jean-Luc se charge de me rappeler, dans ma chair, ce qui s'est passé cette nuit-là.

Mélissa

Un gode de chair

Je m'appelle Sylvie. Je suis une femme d'affaires, tout comme ma copine Jocelyne, nos maris et pour ainsi dire toutes nos fréquentations. J'ai quarante-deux ans et j'ai tendance à penser que je suis une femme appétissante, encore très bien conservée. J'ai, avec mon mari, des relations plus amicales que sexuelles. Ma vraie nature s'est révélée il y a quelques années et Jocelyne et moi partageons les joies des amours saphiques. Mais si je vous écris, Julie, c'est surtout pour vous raconter la méthode originale que nous avons mise au point pour nous envoyer du plaisir mutuellement.

C'est grâce à un coursier que je fais parfois *la surprise du chef* à ma Jocelyne adorée. Ce coursier s'appelle Luc, mais nous l'appelons entre nous «gode de chair». Il nous sert à assouvir ce besoin de bite qui nous saisit de temps en temps. Jocelyne a ses bureaux angle Saint-Jacques et Saint-Laurent, à Montréal, j'ai les miens avenue Collège McGill. Nous ne sommes donc pas très loin l'une de l'autre. Mais souvent dans la journée, nous sommes bien trop occupées pour satisfaire le désir subit de l'autre qui peut nous prendre. Luc, à ce moment-là, comble le manque. Parfois je l'envoie à Jocelyne juste pour qu'il lui fasse un cunnilingus. Si je suis très excitée, je lui remets ma petite culotte, et pendant qu'il lèche la chatte de ma compagne, elle peut respirer les effluves que dégageait ma chatte au moment où je pensais à elle.

Bref, vous comprendrez que Luc est notre homme à tout faire !

Bien sûr, en premier lieu, il est notre coursier de l'amour. Il porte vers l'une les désirs de l'autre, et vice versa. Parfois, je le vois revenir avec un petit gode dans le cul. À ce moment, je sais que Jocelyne désire que je me fasse enculer par Luc qui prend plaisir à monter sa patronne. Mais il n'abuse pas de sa position, car il sait que ma vengeance serait terrible, et cela s'applique aussi s'il ne parvient pas à me faire jouir dans un temps raisonnable. Le plus fameux, c'est quand l'une d'entre nous se sert de Luc et qu'elle téléphone à l'autre pour lui raconter ce qui se passe. Ou encore, quand Luc arrive dans mon bureau et me raconte ce que Jocelyne lui a fait subir comme outrages.

Nous sommes heureuses d'avoir eu cette idée de liaison. Je sais que beaucoup de gens pratiquent l'amour par Internet, mais pratiquer l'amour par l'intermédiaire d'une vraie personne, c'est encore plus jouissif. Il y a une sorte de perversion supplémentaire qui excite les neurones : quand tu retrouves ton amour et que tu la serres dans tes bras, tu te poses la question de savoir si, oui ou non, tu seras capable de lui donner autant ou plus de plaisir qu'elle en a pris avec ton messager. Et si je ne suis pas satisfaite de Jocelyne, pour une raison ou une autre, je m'en prends à Luc, et je le gifle à tour de bras. Jocelyne a la même manie que moi, si bien que Luc a souvent les joues très rouges et brûlantes. Mais il ne s'en plaint pas, le petit !

Il y a quelques mois, mon mari a embauché une jeune fille qui occupe dans son entreprise la même fonction que Luc entre Jocelyne et moi. Pour être sûr qu'elle soit aussi efficace que notre « gode de chair », il nous l'a envoyée en dressage. Françoise, que nous appelons « Fransuce », n'a pas eu beaucoup de travail à fournir pour devenir une parfaite messagère de l'amour ; elle est tellement cochonne que je me demande comment cela est possible ! Mon mari s'en sert pour convaincre ses clients réticents. Françoise a des qualités de persuasion fort utiles dans le domaine des affaires, et surtout un corps de rêve et une moralité aussi épaisse qu'un mouchoir en papier. Cela me donne presque l'envie de créer une sorte d'agence de messagers de l'amour !

En tout cas, le week-end dernier, chez Jocelyne et son mari Stéphane, nous avons eu le plaisir de voir « Fransuce » et « gode de chair » nous régaler d'un show érotique de premier choix. Certains diront que ce sont là des plaisirs de bourgeois pervers et rétrogrades ; moi, je dis que c'est simplement le goût de gens qui aiment avant toute chose se faire plaisir sexuellement.

Quand je vois Luc entrer dans mon bureau et qu'il porte encore son casque, je sais que c'est Jocelyne qui lui a enfoncé dans la bouche, en guise de bâillon, une petite culotte. Cela veut dire, suivant nos conventions, que je peux le sucer. Si mon mari m'envoie Françoise sans culotte, je vais me faire plaisir à lui caresser la chatte qu'elle a d'ailleurs fort soyeuse. Ensuite, je l'enverrai à Jocelyne qui, à son tour, lui passera la langue sur la fente. Nous sommes ainsi. Nous n'avons pas de gêne quant à nos goûts sexuels, et nous essayons toujours d'améliorer nos distractions. Dernièrement, Jocelyne a découvert un site Internet où elle s'amuse beaucoup.

Quand nous désirons partager nos amours avec une troisième femme, nous envoyons d'abord Françoise qui prend les risques à notre place. Si le coup est bon, nous faisons alors venir la femme chez l'une ou chez l'autre. Quand nous avons besoin d'un garde du corps, parce qu'au téléphone ou sur le Net nous avons dragué un mec, pour ne pas avoir d'ennuis, nous employons Luc qui fait ça très bien.

Je trouve que l'usage du messager de l'amour devrait se généraliser, pour les gens qui ont les moyens, bien sûr! En attendant, il est quinze heures. Je viens de finir d'écrire ces lignes, et le fait de décrire ainsi nos vies intimes m'a mise dans un état d'excitation incroyable et indescriptible. Je vais donc faire venir Luc qui saura très vite, d'un bon coup de queue, calmer mes ardeurs, juste avant que je l'envoie se faire sucer par ma chère amie Jocelyne.

Sylvie

Jouissance HD

Cela me fait toujours sourire quand j'entends dire que les femmes sont des objets sexuels dans les films pornographiques. Parce que j'aime voir des femmes se faire prendre par tous les orifices tout au long d'un long métrage – oui, il n'y a pas que les hommes pour aimer les films pornos. Nous aussi, pas juste moi, mais aussi beaucoup de femmes, nous aimons ce genre de spectacle et ça nous excite tout autant que les garçons. Il faut en finir avec cette vaste hypocrisie.

Parfois le samedi, avec quelques amies, nous louons des DVD pornos et nous nous faisons une soirée coquine. C'est l'occasion de comparer la queue des types et de se dire que quand on voit ce qui existe, et quand on voit ce qu'on voit des hommes qui partagent notre lit, on peut avoir des regrets. Il paraît que c'est ce que les mecs disent à propos de leur femme lorsqu'ils regardent des actrices particulièrement bandantes, alors c'est réciproque.

Pour ma part, ce que j'aime dans un film triple X, c'est l'entière liberté qu'ont les filles qui en font. Je ne pourrais pas me mettre nue devant une caméra et me laisser aller à crier ma joie de me faire pénétrer. Non, je suis trop prude pour ça et sans doute pas assez jolie. Par contre, ma copine Geneviève est une délurée de première ! Elle adore raconter les histoires salaces qu'elle joue avec son petit ami, Vincent. Je pense qu'il y a beaucoup de vice dans cette façon de s'exposer.

Geneviève nous raconte sa vie sexuelle pour s'exciter de... nous exciter. Une sorte de boomerang érotique qui, rajouté à un film de sexe, la rend complètement disponible pour les turpitudes de Vincent. Je disais plus haut qu'on regarde des films de sexe le samedi avec des copines, mais ça n'empêche pas que très souvent, en semaine, comme je suis abonnée au câble, je n'hésite pas à me commander des films sur Indigo. Alors là, croyez-moi, je prends un pied terrible !

Un jour sans doute serai-je vieille et je m'apercevrai que j'ai plus regardé ma vie sexuelle, que je me suis plus masturbée que je n'ai réellement fait l'amour. Ce ne sera pas un drame parce que j'aime vraiment voir les autres le faire. Je dois être voyeuse. Et je me rends compte que, comme on voit mieux une chorégraphie à la télé, on voit mieux les actes sexuels sur un écran, surtout lorsqu'on a un écran plasma et la haute définition! Les gros plans sont impressionnants, les prises de vue parfois sidérantes, pleines d'imagination, me font rêver l'amour et j'ai de moins en moins besoin de le faire et de plus en plus la nécessité de le regarder. Enfin, je dis ça, mais lorsque je trouve un mec, j'aime par-dessus tout faire l'amour en mêlant mes cris à ceux des actrices. Il me paraît impossible de faire l'amour loin de mon écran télé qui m'offre tant de scènes émoustillantes.

Les hommes que je drague ou qui me lèvent, c'est comme ils veulent l'entendre, je les ramène toujours chez moi. On boit un verre tranquille et la conversation roule sur les sujets les plus anodins. Puis, insidieusement, je glisse vers les films pornos. Neuf fois sur dix, les hommes jouent les hypocrites et disent qu'ils en ont visionné dans leur jeunesse ou à l'époque de l'université, mais très peu avouent en regarder régulièrement. Ils sont rares et ceux-là sont les meilleurs amants. Les autres, souvent, je les sidère en montrant ma collection de films pornos.

Toujours d'une façon perverse, je glisse un DVD et je continue la conversation comme si de rien n'était. Les mots que nous prononçons sont parfois recouverts par les soupirs des femelles en rut. Je vois que l'homme en face regarde de plus en plus mes gros seins, mes tétons qui maintenant pointent sans vergogne au travers de mon chemisier. Il bande, c'est sûr, et toutes les deux secondes, pour des durées de plus en plus longues, les yeux du type quittent ma silhouette pour regarder l'écran et les prouesses des acteurs. Il est mal à l'aise. Certes, il comprend que je joue avec lui, mais il ne sait pas encore dans quelle direction. Pour ne pas le rassurer davantage, pour qu'il sache que je suis une amante exigeante et que je veux ma jouissance, je lui parle de la douceur du chant de la jouissance féminine – un chant aussi beau que celui des sirènes qui égarent les marins! Il se dandine sur le canapé.

Je lui sers un autre verre.

Il est un peu moins fier, mais je sens qu'il est temps que je m'approche. Mes seins rebondis touchent presque sa poitrine. Nos haleines se mélangent. Nos yeux commencent l'escrime dernière. Il est temps... Il se penche, pose le verre, jette un dernier coup d'œil à l'écran. La fille se fait prendre par trois hommes en même temps. Une démone qui me rend folle de jalousie tellement sa capacité sexuelle dépasse la mienne et tant le son de sa jouissance m'excite. Le type pose sa main sur mon épaule près de mon cou. Il me caresse la nuque. Puis d'un coup en fermant les yeux, il m'embrasse. Insensiblement, je le tourne de façon à avoir l'écran de télé dans mon champ de vision. Je ne veux pas perdre une miette de ce qui se passe dans le film.

Ça me rend folle de faire l'amour en regardant un film de cul. Mais ça me rend encore plus folle de faire l'amour avec un mec de passage et de lui faire croire que c'est lui qui me fait jouir. Parce que si je n'ai pas mon film de cul à la télé, il peut toujours me ramoner pendant des heures, il n'arrivera à rien et il repartira la queue entre les jambes et pas fier du tout. Je sais être dure lorsqu'un homme n'est pas à la hauteur de ses dires et de mes ambitions. Tandis qu'avec un bon film de cul, je suis déjà beaucoup plus facile à apprivoiser.

Parfois, je tombe sur un averti, un homme qui sait et comprend mon délire. Alors, nous regardons le film d'abord et ensuite seulement nous faisons l'amour. Mais là, je suis en pays de connaissance. Le type sait ce qu'il faut faire. Il comprend que j'ai besoin de prendre les mêmes positions que les filles du film même si la caméra n'est pas là. J'ai besoin de me faire insulter et de crier comme les actrices des films pornos. Elles sont toutes mes idoles. Il n'y a rien au monde de meilleur que de prendre une position sexuelle qui n'a d'autre utilité que de bien montrer la chatte d'une femelle en train de se faire défoncer. Et je trouve que c'est encore meilleur lorsqu'il n'y a pas de caméra et qu'on le fait juste pour rendre hommage aux déesses de l'amour que sont les *hardeuses*. Dans ces moments-là, je crie, je secoue la tête de droite à gauche avec toute la frénésie dont je suis capable. Je sors la langue et lèche une queue imaginaire, je me cambre, je griffe les draps, j'insulte mon partenaire et l'encourage à aller toujours plus loin, toujours plus fort.

Les queues font partie intégrante de mes rêves. Souvent la nuit, je songe que je ne suis plus qu'un immense garage à bites. Elles se dressent bien raides devant mes yeux et leur odeur forte et puissante me soûle mieux que les vins les plus capiteux. Alors, il m'est impossible de faire l'amour sans sucer pendant au moins une heure une queue qui ensuite me bourrera par tous les trous. Pour moi, il n'est pas imaginable de faire l'amour sans pomper un dard. Parfois je rencontre des types qui me disent que leur femme ne suce pas. Je trouve incroyable le fait qu'elle n'apprécie pas ce qu'il y a de meilleur dans l'homme, sa trique, son sucre d'orge.

D'ailleurs, c'est l'un des critères qui me fait choisir un film de cul. Je regarde le nombre de fellations proposées sur la jaquette. J'adore voir le foutre se répandre sur la figure des filles. Les voir se noyer dans le sperme et se l'étendre sur tout le corps. J'aime aussi quand de grandes giclées leur collent dans les cheveux. C'est chaque fois un véritable bonheur. Personnellement, je ne bois le foutre de personne, je ne suis pas folle, mais par contre, je m'en fais copieusement arroser. La texture même du foutre est particulièrement érotique. Aucune substance au monde n'est à la fois aussi soyeuse, aussi âpre et aussi gluante à la fois. Quant à son parfum, il est parmi ce qui existe au monde de plus suave et de plus sensuel.

C'est sans doute une des choses qui me fait le plus regretter de ne pas être une actrice de films pornos: je ne peux pas avoir toutes les douches de foutre dont j'ai envie. Même si, quelquefois, je m'offre des séances avec plusieurs mecs, ce n'est pas tout à fait la même chose. D'abord, ce ne sont pas des professionnels et il leur faut toujours un moment de récupération plus ou moins long avant d'être à nouveau en mesure de m'arroser de leur jus d'homme pendant que je regarde un film porno. Oui, j'aime les films pornos, j'en regarde depuis plus de dix ans et je crois que j'en regarderai encore lorsque je serai à la retraite. Pour moi, sur le plan sexuel, il n'existe rien de plus excitant et je sais que je ne suis pas la seule dans ce cas.

Renée

Future reine
du X

Je savais qu'ils passaient des films
érotico-pornos le samedi soir,
mais je croyais que c'était nul, et
je n'avais jamais été tentée de
les regarder. Le premier, je l'ai
donc vu sans l'avoir cherché.
J'étais en compagnie de Julien,
mon petit ami, et nous nous
étions rendus chez un
copain. Nous étions une
dizaine devant la télé.
D'abord, on a regardé un
DVD que nous avions
loué. À la fin du film,
nous sommes
tombés en plein
film de cul. Les
garçons se sont
mis à siffler,
tandis que les
filles ont gueulé un
peu, en trouvant ça

nul. J'étais d'accord avec elles, mais je n'ai pas tardé à changer d'avis.

J'ai commencé à regarder, et cela m'a fascinée. Je me suis demandé comment des filles pouvaient tailler des pipes comme ça! Il y avait deux mecs côte à côte avec deux nanas à leurs pieds. Chacune suçait un type. Parfois elles échangeaient un sourire entre elles, tandis que les mecs lâchaient des commentaires obscènes. Cette scène semblait faire de l'effet aux mecs, ils avaient les yeux hors de la tête. Ils ont commencé à se montrer grossiers. Un d'eux a demandé à Julien:

«Elle est aussi bonne que ça, Sophie?»

Je me suis sentie rougir. J'avais peur de sa réponse. Bien sûr que non, je n'étais pas aussi experte que ces filles. Je ne sais pas très bien ce que ça aurait donné si on m'avait filmée pendant que je pratiquais la fellation, mais je n'aurais sûrement pas été aussi vicieuse. Finalement, Julien n'a pas eu à répondre parce qu'une des filles est intervenue pour faire cesser tout ça. Elle a coupé la télé et nous sommes sortis dans un bar. Dans la voiture, j'ai eu envie de Julien et je me suis blottie dans ses bras. J'ai même glissé ma main entre ses cuisses, pour tripoter son sexe, chose que je n'ose pas trop faire d'habitude.

Dans le bar, nous avons trouvé le moyen de nous éclipser quelques minutes dans le stationnement, et je lui ai fait une fellation, plus cochonne que d'ordinaire. Je n'étais déjà plus tout à fait la même fille, tout ça à cause de quelques minutes de film! Les jours suivants, j'ai repensé plusieurs fois à ces images que j'avais entraperçues. Je n'avais pas oublié l'émotion qui m'avait saisie en regardant ces filles, et j'ai enregistré le film lors de sa diffusion suivante. Je l'ai regardé toute seule, dans ma chambre, le lendemain matin. J'ai revu la scène sur laquelle j'étais tombée par hasard, mais j'ai aussi regardé tout le reste, en repassant plusieurs fois les meilleurs moments. Couchée sur mon lit, cuisses écartées, je me suis masturbée, ce qui ne m'était plus arrivé depuis que je sortais avec Julien. Pendant que ma main s'activait sur mon petit bouton, je regardais les filles, et j'imaginais que c'était moi qui jouais leurs scènes. C'était bizarre quand même. Je veux dire que dans le X, les filles sont réduites au rôle subalterne et elles doivent se conduire comme des salopes pour faire plaisir à ces messieurs, ce qui ne correspond pas du tout à ma conception des rapports entre hommes et femmes... à part pour les quelques minutes où ils s'accouplent. Là, effectivement, c'est plutôt excitant de se faire traiter comme des vicieuses, et autant en profiter pour être bonne. C'est exactement ce que faisaient les *hardeuses* de ce film. J'en ai tiré la leçon. Le soir, j'ai vu mon copain et on a fait l'amour.

Une fois encore, les images du film me sont revenues en tête. Ça commençait à devenir obsédant. J'ai sucé Julien, je suis venue sur lui, je changeais souvent de position, en songeant toujours à celles que prenaient les filles pour se montrer sous l'angle le plus excitant d'un point de vue esthétique. Encore tout essoufflé, Julien m'a lancé :

«Ben dis donc, t'es déchaînée aujourd'hui! Je ne t'avais jamais vue comme ça. Qu'est-ce qui t'arrive?»

Je n'ai évidemment pas avoué la raison de ce changement. J'ai juste minaudé:

«Tu n'aimes pas?» et il m'a serrée contre lui pour m'embrasser, ce qui signifiait que oui, il aimait la nouvelle Sophie, celle qui baisait comme les salopes dans les films X.

Ma passion du porno commençait à gagner du terrain. La preuve: le lendemain, j'ai osé braver le regard du caissier pour m'acheter un DVD. J'avais vu qu'il en vendait en allant m'acheter des cigarettes et je me suis emparée du premier venu pour le payer en baissant les yeux, rouge de honte. C'était le début de ma collection. Celui-là m'a semblé encore meilleur que le film que j'avais vu à la télé. Il y avait Tabatha Cash, et elle, c'était vraiment une bonne. Dommage qu'elle ait si tôt arrêté sa carrière! Maintenant, je commence à bien connaître les filles qui font du X, comme Olivia del Ria, Dolly Golden, Selen ou Jenna Jameson, pour ne parler que de quelques-unes que je trouve carrément exceptionnelles. Pour mieux connaître toutes ces nanas et ce milieu qui me fait rêver, je loue souvent des films dans un vidéoclub (j'y vais à l'heure où il n'y a personne, en tremblant à l'idée de rencontrer une connaissance!), et je m'achète aussi des revues. Parce que mon rêve, j'ai bien envie qu'il se réalise. J'ai noté les adresses des producteurs, et je suis tentée de leur envoyer des photos de moi (j'en possède de très coquines).

J'hésite cependant à franchir le pas. Je suis très mignonne, j'ai du tempérament, mais en même temps, je suis étudiante en droit et si je deviens actrice, je vais avoir du mal à faire carrière dans ce milieu, vous comprenez. Surtout que, sans me vanter, je pense avoir tout ce qu'il faut pour devenir une star, et même faire partie des dix meilleures baiseuses du X. J'étais encore à hésiter quand je suis tombée sur l'annonce d'un couple qui pratiquait le X amateur. Ils proposaient des rencontres coquines, comme les autres, mais eux, ils les filmaient. Intéressant, n'est-ce pas? Je me suis lancée et j'ai envoyé ma *candidature*. Quelques jours plus tard, ils me téléphonaient. Ça a tout de suite bien collé entre nous, enfin avec Josée d'abord, puis avec Antoine, et nous avons convenu d'un rendez-vous. Pour me rendre chez eux, j'avais mis mes vêtements les plus sexy dans un grand sac, pour leur laisser choisir ceux qu'ils préféraient. J'étais émoustillée, mais en même temps le trac m'habitait et j'avais une boule dans le ventre – j'ai failli renoncer à la dernière seconde. Heureusement, j'ai entendu rire à travers la porte, ce qui m'a donné le courage de sonner. Josée m'a accueillie avant de me présenter à son mari. Une heure plus tard, nous commencions à tourner.

Pour tourner ma première scène, j'ai fait une fellation à Antoine. Josée filmait avec son caméscope professionnel, placé à quelques centimètres de mon visage. Elle m'avait dit de ne pas regarder l'objectif, mais je n'ai pas pu m'empêcher de tourner la tête. À part ça, je crois que ma pipe n'avait rien à envier à celle des meilleures actrices du porno. J'avais repéré tous les trucs qui rendent une fellation bien bandante. Je laissais traîner des filets de salive entre mes lèvres et le gland d'Antoine. J'ai même envoyé un crachat. Et puis j'avais pensé à porter des boucles d'oreilles qui bougeaient bien le long des joues, pour faire joli. J'avais tout prévu dans les moindres détails pour que ma pipe soit super belle à l'image.

Pendant tout le tournage, je me suis conduite comme une pro, aussi bien dans les scènes lesbiennes, avec Josée, que dans les trios, avec eux deux. On en a eu pour la journée avant d'avoir deux heures de film exploitable. Ils ont dit tous les deux que j'étais la plus douée de toutes les filles qu'ils avaient rencontrées jusque-là. Il paraît que je prends bien la lumière, et que je sais comment me conduire devant la caméra. Normal, remarquez, avec tous les films que j'ai vus, j'ai l'impression d'avoir déjà tourné des dizaines de scènes *hard*...

J'ai trouvé ce premier essai très concluant et ça m'a vraiment donné envie de continuer. Entre le droit et le X, je sais quelle est ma voie. Il n'y a plus à hésiter. Bon, je sais qu'un vrai tournage avec une équipe technique complète doit rendre l'ambiance très différente, mais je sais à quoi m'attendre. Mon prénom est Sophie, mais j'ai envie de prendre un pseudo qui fasse fantasmer les hommes. J'ai pensé à Féline.

Alors, si vous voyez un jour mon nom sur la jaquette d'un DVD, pensez à moi...

Sophie

Femme de ménage... particulière !

Je suis salope, soit! Une définition pratique pour les machos qui veulent nier aux femmes leur plaisir. Pourtant, j'ai un fantasme que je mets toujours en application. J'aime jouer la femme de ménage pour finir dans les bras de ceux qui m'emploient. Parfois même, je finis dans les bras des deux lorsque je travaille pour un couple.

Attention, je suis une femme de ménage de luxe. Je ne vais pas dans les apparte- ments miteux qu'il faut net- toyer de fond en comble. Et puis, pour tout dire, je n'ai de femme de ménage que l'apparence et les accessoires. Mais je ne fais jamais le ménage, pas même chez moi où quelqu'un vient le faire. Par contre, je mime à la perfection la petite cochonne aux tenues trop courtes. Sous ma jupe noire, qui m'arrive à mi-cuisse, une culotte de coton trop blanche moule parfaitement mon sexe bombé. Pas de porte-jarretelles, plutôt des bas qui tiennent tout seuls et qui montent le plus haut possible avec un petit revers de dentelle. Des souliers noirs, vernis, impeccables et aux talons vertigineux, ce qui fait que, de un mètre soixante-cinq, je passe à un mètre quatre-vingts, je gagne quinze centimètres et cela fait de moi une femme aux longues jambes ! Mais je suis très bien proportionnée. Mes seins lourds, aux larges aréoles un peu rosées, s'épanouissent sous une blouse de satin blanc et dans les balcons d'un soutien-gorge pigeonnant. Une blouse fermée jusqu'au col en dentelle et qui possède aussi de jolis petits poignets de dentelle surfine faite à la main. Le tout rehaussé d'une toque de dentelle et de rubans assortis. L'effet est toujours garanti !

En général, les hommes ne veulent pas attendre que je me serve de mon plumeau. Pourtant, je dois le faire puisque je suis venue pour ça. Je me penche en avant pour bien passer le chiffon sous les tables les plus basses. Je monte le plus haut possible sur la pointe des pieds pour tendre un peu plus mes bas et pour que ma jupe se relève presque sur mes reins. Je demande un escabeau et traîne un peu en nettoyant le haut du buffet ou des penderies. Et parfois, il y a plus que le regard qui me caresse. Des mains se perdent sur mes bas, des lèvres frôlent mes jambes. Souvent les femmes perdent la mesure et me caressent directement la moule à travers ma culotte de cotonnade blanche. Elles peuvent ainsi se rendre compte par elles-mêmes que nous sommes deux à mouiller comme des folles.

J'époussette, je range des revues, je me tortille du cul, dés hanches, je fais la mijaurée, enfin je joue mon rôle de petite salope, ingénue et perverse, qui ne comprend pas que ses gestes excitent ses maîtres. Ou qui le comprend trop, parfois il en va ainsi. Mon parfum se répand partout dans l'appartement ou la maison, les pièces sentent toutes ma présence érotique et le lieu ne va pas tarder à ressembler à un lupanar. Tout ça pour quoi ? Parce que je suis une gentille femme de ménage qui ne retire pas que la poussière, mais qui éponge aussi des litres de foutre et de mouille en trop. Maintenant, je sers le café, monsieur et madame sont assis sur le canapé. Comme par hasard, la télé est branchée sur une chaîne qui ne diffuse que des films érotiques. Je suis choquée et je fais des ah ! et des oh ! En arrondissant exagérément les lèvres.

Par inadvertance, je renverse un verre sur monsieur. Il est en colère, me lance un œil furibond. Il va me corriger. Je m'appuie sur la table de la salle à manger, il n'a pas d'effort à faire pour soulever ma jupe, elle est trop courte et à peine suis-je penchée en avant qu'elle dévoile mes fesses rebondies. Monsieur prend une ceinture et, sous les encouragements de madame, me donne une dizaine de coups. Je pleure, je crie, je supplie. Pour me calmer, madame me bâillonne d'un baiser au cours duquel sa langue va se perdre au fond de ma bouche. Monsieur continue de me fesser, mais pas trop fort. Je me dandine du cul et je le monte davantage, le cambre toujours plus pour que la ceinture atteigne bien mes rondeurs callipyges. Il passe une main avide sur ma chatte toute chaude et humide. Il fait pénétrer un peu de coton de ma culotte dans ma fente qui n'avait pas vraiment besoin de ça pour éclater comme un fruit mûr et répandre son jus sur ses doigts. Les mains de madame s'affolent dans ma chevelure et s'introduisent dans mon soutien-gorge. Ses doigts féminins et agiles titillent mes tétons tendus. Ma main part à la découverte de son entrejambe. Une forêt de poils s'étale entre les cuisses de ma patronne. J'en raffole. Je vais me régaler de brouter cette chatte poilue – la mienne est presque entièrement rasée.

Pour l'instant, madame abandonne ma bouche et à la place se présente à l'orée de mes lèvres la queue bandée de monsieur. Je l'aspire sans discussion, je ne vais pas tenter le diable et prendre une autre tournée de coups de ceinture, quoiqu'en y réfléchissant bien, je ne déteste pas ça. Je suce sa queue, je l'avale jusqu'au fond de ma gorge, je suis même capable d'avaler les couilles avec. Monsieur me félicite pour ma dextérité. Madame a descendu ma culotte et me lèche la chatte avec une science qui ne tarde pas à m'envoyer au plus haut. J'ai de plus en plus de mal à garder le contrôle de la situation. Je m'envoie en l'air purement et simplement pour la première fois de la soirée, mais je sais qu'elle sera encore longue.

Monsieur me tient par la tête, il s'enfonce toujours plus loin dans mon palais. Puis lorsqu'il se retire, un filet de bave nous relie encore comme une pensée coquine. Il s'approche de ma grotte amoureusement préparée par madame. Je suis toute grande ouverte. Madame s'installe confortablement devant moi, et pendant que monsieur me pénètre avec vigueur, je plonge le nez dans son antre. Je bois, j'aspire, je mange, je dévore ce mets des dieux qu'est la chatte d'une femme. Je suis parfaitement bi et je m'en porte à merveille. Monsieur tient un bon rythme, mais je sens qu'il a envie d'autre chose. Alors, je lui crie de m'enculer. Il ne se le fait pas dire deux fois et précipite sa queue dans mon cul déjà prêt à le recevoir. Je suis très ouverte de tous les trous. Je les nettoie toujours parfaitement avant de partir de la maison pour aller au travail. Ainsi, je ne suis pas surprise, et si une femme ou un homme veut profiter de l'une de mes trois ouvertures, il le fera sans hésitation et sans difficulté. Il est assez normal pour une femme de ménage d'avoir toujours les trous bien lustrés.

Maintenant, monsieur a pris son rythme de croisière, tantôt dans le cul, tantôt dans la chatte, il varie les plaisirs pour sa jouissance et mon bonheur. Pendant ce temps, madame chavire sous les assauts incessants de ma langue et de mes lèvres en feu. Elle danse la plus belle java de sa vie et veut que la terre entière l'apprenne. Bientôt, nous éclatons tous les trois dans une jouissance totale. Pour bien finir mon travail de soubrette, je finis de lécher le jus de madame qui coule encore un peu de sa source velue. Ensuite, je m'empare de la queue de monsieur et je finis de la nettoyer en appuyant bien dessus pour en faire sortir tout le foutre. Je n'en perds pas une goutte, j'aime trop ça. Et voilà, tout est propre, je suis prête pour une autre séance de ménage.

Céline

Amours de collégiennes

Mes dernières années de collège, je les ai passées en pension. Le collège était cependant mixte, et l'ambiance très laïque. Mais au pensionnat il n'y avait que des filles. Pas forcément un groupe de perverses, mais vous savez ce que c'est, à force de dormir toutes ensemble dans le même dortoir, l'intimité se crée... On était toutes vierges lors de notre arrivée, sauf la petite vicieuse de service qui s'en vantait à moitié d'ailleurs! Mais arrivées en fin d'études, c'était les pucelles qui n'en menaient pas large, même s'il y en avait encore beaucoup. On écoutait avec une attention mêlée de terreur les récits que nous faisaient les plus âgées d'entre nous, du genre séance chez le gynéco. Ça nous impressionnait qu'une telle prenne déjà la pilule, qu'elle ait ouvert ses cuisses face à un austère docteur ou une doctoresse aux ongles longs à faire peur. Et dans toute cette atmosphère où le sexe était une chose étrange, on ne faisait pas attention aux petits gestes entre filles.

Ça commence par un compliment sur les cheveux, ça continue avec un compliment sur la poitrine. Puis, par jeu, on se donne un petit baiser. Un soir de fête avec alcool à l'appui – même si c'était interdit, on finissait toujours par en trouver! –, en dansant entre nous, on sent que les corps qui se frottent, c'est bon, c'est chaud. Le petit baiser se transforme en baiser langoureux. C'est donc ça, une langue dans la bouche? C'est presque dégueulasse, mais ça donne des frissons... Et puis, c'est Catherine qui me l'a fait, et Catherine, elle m'impressionne depuis toujours. Je crois même que je l'aime.

Une nuit, je me suis retrouvée comme ça dans mon lit d'interne, à fixer le plafond en écoutant le souffle du sommeil de Catherine. J'imaginais que je la caressais, j'avais honte et l'excitation ajoutait à mon trouble. Prendre mes deux seins à pleines mains, apprécier du pouce la douceur de l'arrondi, puis oser pincer les bouts, doucement. J'ai eu un spasme, j'ai fermé les yeux, heureusement tout le monde dormait. J'avais souvent pressé l'oreiller entre mes jambes, mais là, pour la première fois, j'ai osé mettre la main. Je découvrais des plis chauds et humides, très humides. À peine je m'effleurais que mon corps se tendait. Le fameux clitoris dont on avait tant entendu parler, ça doit être ça, ou ça... Quand j'ai

trouvé cet endroit magique et la bonne manière de le branler, c'est un univers de jouissance qui s'est ouvert. Aussi
simple que ça! J'ai jeté un œil à Catherine qui dormait. Un
jour peut-être, je pourrai lui procurer un plaisir semblable
à celui-là...

Cette nuit-là, je me suis branlée jusqu'au lever du soleil.
Vers cinq heures du matin, j'ai dû m'écrouler après avoir
inondé mon lit de mes orgasmes successifs. J'avais compris
que le premier va vite, que le second est assez facile, mais
qu'après, ça se nuance. En me touchant un sein d'une main
et en me caressant de l'autre, ça a redonné de la force à
mon plaisir. Après quelques orgasmes, le clitoris est un peu
froissé, mais la zone est tellement vive qu'en se caressant
doucement, ça prolonge cette impression merveilleuse. Le
lendemain, j'étais un peu apathique, mais j'avais l'impression d'avoir fait l'amour avec Catherine, tellement j'avais
pensé à elle...

Je ne voulais pas l'effrayer pour autant. J'étais déjà suf-
fisamment secouée. Serais-je lesbienne? Autant éviter de
se poser la question, au fond j'étais amoureuse d'elle, il fallait que je me concentre là-dessus. Je me souviens d'une dis-
sertation qu'on a faite ensemble, j'étais dans tous mes états
en frôlant sa cuisse avec la mienne. Nos bras se touchaient,
j'ai eu l'impression que je lui envoyais des décharges électriques avec tout mon épiderme. Quand elle a mis le point
final, elle était tellement contente d'être débarrassée de ce
devoir qu'elle m'a sauté au cou en me disant:

«Tu sais que je t'aime, toi?»

Je m'en suis caressée une deuxième nuit entière.

Tous les soirs au foyer où il y avait une chaîne stéréo, on dansait ensemble. Il a fallu attendre la deuxième fête arrosée pour que je tente le tout pour le tout. J'étais devenue en deux mois une professionnelle de la masturbation. Je voulais la faire jouir. On a dansé ensemble, mais cette fois, je me suis comportée en homme; je la plaquais contre moi, je posais une main sur le haut de ses fesses, je jouais de nos seins qui s'écrasaient, se caressant tout seuls. Quand j'ai senti ses tétons très durs s'agiter sur ma poitrine, ça m'a tellement excitée que je l'ai serrée très fort, puis, en la prenant par la main, je l'ai entraînée hors de la salle. Les autres étaient aussi soûles que nous, elles n'ont rien vu.

On est entrées dans une salle de classe vide au bout du bâtiment, et on a poussé la porte en riant. Je l'ai embrassée, elle a répondu à mon baiser sans hésiter. J'ai osé toucher ses seins, elle s'est pâmée et m'a rendu la politesse. J'avais eu tort de la croire farouche! Tout ce que j'avais rêvé de lui faire, elle y répondait si bien qu'elle me précédait! C'est elle qui a soulevé mon t-shirt et m'a sucé les tétons de toute sa bouche. J'ai failli avoir un orgasme rien qu'avec ça. Je l'ai remontée vers moi pour l'embrasser et attaquer sa jupe. Ma main s'est glissée dans son slip, elle était aussi trempée que dans mes nuits les plus chaudes. J'ai trouvé son clitoris, ma victoire était proche. Je l'ai fait rouler entre mon pouce et mon index, puis j'ai fait un mouvement de va-et-vient entre ses lèvres inondées de plaisir avec la tranche de ma main. Elle a poussé des soupirs de plus en plus prononcés. Elle ne bougeait plus, posée sur le bord d'une table, ployée en arrière. J'y ai mis toute ma science, tout mon amour. Quand je m'approchais de sa grotte, elle se cambrait. Quand je revenais à son clitoris, elle gémissait. La voir comme ça, offerte, les yeux mi-clos et la bouche entrouverte, ça m'a boule-versée. De mon autre main, je prenais son sein rond et dur qui dardait son téton vers moi. Elle s'est mise à s'agiter, son souffle s'est accentué et elle est retombée dans un râle. Catherine avait joui et c'était grâce à moi.

En reprenant ses esprits, elle m'a embrassée avec tant d'amour que j'ai eu de la peine à retenir mes larmes. Sans dire un mot, elle a ôté son t-shirt, m'a montré qu'elle vou-lait le mien. Comme les joueurs de foot, nous avons échangé nos maillots après le match, et nous sommes allées retrou-ver les autres. Je portais son odeur, j'étais la plus heureuse, on se regardait en souriant, c'était un moment magique.

Jusqu'aux grandes vacances, nous avons fait l'amour souvent. Puis, j'ai eu mon bac, elle a repiqué. On s'est per-dues de vue. Tout ça s'est passé il y a plus de quinze ans...

Brigitte

Toujours aussi envie d'elle

C'est ma rencontre avec elle qui m'a assagie, car auparavant, j'étais un vrai don Juan féminin ! Bien que de taille moyenne, j'ai un physique agréable. Je suis mince avec des seins haut perchés, une taille fine et de belles hanches en forme d'amphore. Je m'entretiens depuis toute jeune en faisant du vélo, aussi mes fesses sont-elles bien dures. Quant à mon sexe, je le rase consciencieusement depuis ma rencontre avec Florence.

C'est à la terrasse d'un café que j'ai fait la connaissance de ma première conquête. J'étais encore vierge et je voulais absolument connaître les délices de la chair. Lorsque mon regard a croisé celui de cette femme, appelons-la Lise, je crois que j'ai été littéralement subjuguée par ses yeux myosotis. Je l'ai détaillée. Sous un tailleur classique, j'ai deviné une femme sensuelle, une douceur de peau qui m'ont donné des frissons partout.

On a entamé une conversation anodine, mais toutes les deux nous avions la gorge sèche. Alors, n'y tenant plus, j'ai effleuré sa main. Elle a sursauté, a regardé autour d'elle, craignant qu'on n'ait remarqué mon geste, pendant que je lui murmurais :

« J'ai envie de vous... Vous acceptez qu'on se fasse des mamours dans une chambre d'hôtel ? »

Je me suis levée et elle m'a suivie, sur un coup de tête, comme elle me l'a appris plus tard. Dans la chambre, je me suis approchée d'elle, puis je me suis agenouillée. J'ai levé haut sa jupe et j'ai collé mon visage contre sa culotte qui, serrée, détaillait parfaitement son sexe renflé. Une bonne odeur s'en échappait. Après, j'ai baissé sa culotte et j'ai admiré ce sexe fendu en deux, avec des bords bombés et, un peu plus haut, le clitoris bien développé. J'y ai mis la pointe de la langue et, tout de suite, Lise a poussé quelques délicieux soupirs. Je l'ai alors happé et ma compagne a commencé à gémir, tout en se tortillant. Je la tenais fermement serrée, les mains refermées autour de ses fesses, me régalant de goûter à sa liqueur qui, à présent, coulait de sa fente. Quand elle a joui, j'ai eu le visage inondé de sa mouille au goût légèrement amer.

Ensuite, nous nous sommes mutuellement déshabillées avant de nous allonger sur le lit, tête-bêche. Comme Lise écartait bien volontiers ses cuisses, son sexe s'est ouvert et j'ai pu y glisser ma langue, mais aussi mes doigts. C'était chaud, ça vibrait et c'était tout humide à l'intérieur. Cependant, j'avais du mal à me concentrer, car Lise me branlait avec frénésie. Elle y allait franchement, et je sentais le plaisir monter dans mes reins. Quand j'ai joui, j'ai plongé mon visage et l'ai maintenu un moment contre sa chatte palpitante. J'étais à demi évanouie, le corps moulu, mais heureuse comme si j'avais découvert un trésor.

Lise s'est entichée de moi et elle m'offrait des fleurs, m'invitait au restaurant. Cela se terminait toujours de la même façon. Sous ses dehors très sérieux, c'était une femme très langoureuse qui ne pouvait se passer du sexe. Mais alors que je savais dominer mes instincts, elle, elle en était incapable. Ses gros seins avaient constamment besoin qu'on les malaxe et qu'on en titille les bouts sombres et très sensibles. C'était d'ailleurs sa caresse favorite et je devais sans cesse la lui prodiguer. Quand j'aspirais ses tétons, en durcissant mes lèvres, Lise poussait des gémissements à fendre l'âme. Ses belles fesses attiraient également mes ongles. Elle se régalait quand je la griffais, alors qu'elle se touchait fiévreusement. De toute façon, sa chatte ruisselait pour un oui ou un non.

Hélas pour elle, Lise était jalouse. Or moi je commençais à peine ma vie sexuelle. J'avais envie de multiplier les expériences. La première fois où j'ai fait l'amour avec une autre fille, une belle Noire aussi souple qu'une liane, Lise a piqué sa crise. Elle m'a découverte, les jambes ouvertes, Carole occupée à me goder, ce qui était une toute nouvelle expérience. Elle avait passé autour de ses reins une ceinture terminée par un engin qui imitait grossièrement une bite. Elle était légèrement recourbée vers le haut et elle entrait peu à peu dans mon vagin avec. Je poussai des cris de plaisir évidents et Lise s'est mise en colère. Elle nous a sauté dessus en nous frappant, mais après quelques minutes, je la branlais avec enthousiasme, de sorte qu'elle a poussé un hurlement en ayant un orgasme. On était maintenant toutes les trois dans le lit et, mécontente de Lise, j'ai suggéré à Carole de l'enculer. Lise était sur moi, se frottant à ma chair et Carole s'est faufilée derrière elle. Quand l'engin a commencé à s'introduire dans son cul, elle a voulu s'échapper. Je l'ai fermement retenue contre moi, alors que la Noire la sodomisait doucement, cependant attentive à ne pas lui faire mal. Finalement, Lise a joui de nouveau et, me semble-t-il, beaucoup plus fort que lorsque nous nous aimions. Mais une fois Carole partie, elle m'a fait une scène, aussi avons-nous rompu.

Et j'ai poursuivi mes expériences érotiques.

J'ai rencontré Florence au cours d'une soirée. Elle m'est apparue comme une gamine à peine pubère, avec un soupçon de poitrine, des hanches plates, un sexe à peine ombré et formé... Ma foi, à l'époque je préférais les filles bien dodues. Aussi, en dépit d'une partouze qui nous a réunies à cinq filles dans la même pièce, pas une seule fois je n'ai touché Florence. Je l'ai simplement vue se faire lécher, et j'avoue que ses gémissements et ses halètements me troublaient. Mais j'avais entre mes propres cuisses une splendide fille venue de Norvège. Elle m'avait ouvert les jambes avec décision et, avec les doigts, elle me faisait jouir.

J'ai fait l'amour avec d'autres filles cette nuit-là, mais pas avec Florence, occupée avec une femme d'un certain âge qui n'arrêtait pas de l'accaparer. Ce n'est qu'un an plus tard que je me suis retrouvée en face d'elle dans une fête. J'avais déjà eu de nombreuses amantes et j'étais un peu fatiguée de toutes ces rencontres d'un soir. J'ai dansé avec elle sur un slow et là, ça a été le coup de foudre. On s'est tout de suite lovées l'une dans l'autre. L'odeur de Florence agissait sur moi comme un aphrodisiaque. C'était salé, légèrement poivré et son corps collé au mien répondait à la moindre de mes sollicitations. Bien entendu, nous nous sommes embrassées. Là encore, j'ai ressenti une telle fusion en sentant ses lèvres sur mes lèvres et sa langue qui se nouait à ma langue que j'ai eu un orgasme doux et très lent. Dans mes yeux soudain remplis de larmes, Florence a lu de l'amour, aussi a-t-elle préféré danser avec d'autres filles. Moi, je la suivais des yeux et plus je la regardais, plus j'avais envie d'elle. Au cours de la soirée, n'y tenant plus, je me suis précipitée sur Florence et l'ai entraînée aux toilettes. Je sais, ce n'est pas très romantique, mais je n'en pouvais plus... Je l'ai poussée dans la première cabine venue. Sans dire un mot, je l'ai fait s'agenouiller devant moi et, baissant mon jean, je lui ai offert la vision de ma touffe lustrée par un désir qui me faisait trembler. Florence a levé les yeux et elle m'a souri, puis a collé sa bouche à ma fente graissée... J'ai bredouillé quelque chose, puis je me suis répandue. Florence a tout léché, glissant le bout de sa langue dans les moindres recoins. J'avais les jambes flageolantes. Florence m'a prise dans ses bras et m'a raccompagnée à mon appartement. Sur mon lit, elle m'a mise nue et m'a longuement caressée. Lorsque j'ai gémi et que je me suis écartelée, Florence s'est enfin déshabillée. Son petit corps androgyne était le plus beau du monde. Quand elle a frotté ses tétons contre mes gros seins, j'ai été de nouveau traversée par un bel orgasme...

Je ne me souviens plus du nombre d'heures que nous avons passées au lit. On n'arrêtait pas de se toucher, de se lécher, de se faire jouir... Au petit matin, toutes les deux nous sentions la sueur et la mouille. J'ai pris alors Florence dans mes bras et je lui ai juré de l'aimer jusqu'au bout. Depuis dix ans, j'ai respecté ce pacte et elle remplit ma vie tous les jours.

Tania

Le plaisir tabou

Le tabou, la peur de souffrir, la peur de me donner complètement... Je pense aussi que mon éducation y était pour beaucoup. Quand j'étais gamine, l'anus était considéré comme *l'endroit sale*. Aussi plus tard, lorsque je me suis éveillée à la sexualité, n'ai-je jamais cherché à introduire cette zone honteuse dans mes fantasmes ou dans mes jeux érotiques en solitaire. Avec les premiers garçons que j'ai connus, je me sentais toujours très gênée dès que l'un d'eux s'intéressait d'un peu trop près à l'orifice secret et interdit caché entre mes fesses. Aujourd'hui, à trente et un ans, j'en ris en me disant que j'étais vraiment coincée. Je me contractais et serrais les fesses, me refusant à toute caresse ou stimulation anale. Pour moi, c'était de la perversion, de la dépravation.

Et puis, il y a eu Éric, un homme marié de trente-sept ans, alors que j'en avais seulement vingt-trois. J'ai accepté ce que j'avais toujours refusé, simplement parce que je l'aimais et que j'étais folle de lui... Parce que je croyais qu'il allait quitter sa femme et venir vivre avec moi. Parce qu'il me faisait jouir très fort et qu'entre nous, il y avait de légers rapports de soumission et de domination. Éric aimait m'attacher et me bander les yeux avant de me prendre et moi, je prenais beaucoup de plaisir en m'offrant à lui.

Ce fut progressif. Déjà, pour moi, une grande partie du tabou s'est effondrée quand je l'ai laissé me regarder longuement entre les fesses, m'examiner, puis passer sa langue sur mon anus. J'en retirais des sensations aussi fortes et troubles que coupables. J'avais honte, mais je m'efforçais de cacher mon émoi par peur d'être considérée par Éric comme une grosse vicieuse, une fille perverse. Mais j'adorais ça. L'idée de franchir l'interdit et de jouer avec quelque chose qui était censé être très sale m'excitait terriblement.

Depuis le début de notre relation, Éric m'avait annoncé qu'il espérait bien me dépuceler par là, qu'il prendrait tout son temps s'il le fallait, mais qu'il y parviendrait. Je dois avouer qu'il a été un parfait initiateur. Voyant que je lui résistais de moins en moins, il s'est amusé à m'introduire ses doigts. D'abord un, qu'il enfonçait délicatement entre mes fesses et qu'il faisait aller et venir avant d'en ajouter un second. Quant à moi, j'avais de plus en plus de mal à dissimuler mon trouble et mon plaisir. J'avais envie de bouger lorsque ses doigts me fourrageaient profondément, d'aller les chercher et de m'empaler sur eux. En même temps, cette nouvelle jouissance me faisait peur. J'avais peur de me laisser aller complètement.

Un matin, alors qu'il était passé me voir chez moi, Éric m'a introduit une petite chandelle dans le derrière, et il me l'a laissée enfoncée dans l'anus tout en me faisant l'amour. J'étais sur lui, à quatre pattes et il tenait la bougie et la remuait au même rythme que ses coups de reins. C'était comme si j'étais prise par deux hommes à la fois. J'ai vraiment eu l'impression d'un double orgasme, de jouir par-devant et par-derrière, et je n'ai pas pu m'empêcher de crier et d'agiter mon bassin de manière obscène pour prolonger mon orgasme et me sodomiser toute seule sur la bougie. Ce fut le déclic. Le tabou était définitivement tombé. Mon cul pouvait me procurer autant de plaisir, sinon plus, que ma chatte. Un plaisir différent et plus aigu. Éric m'a réellement dépucelée par-derrière le lendemain. Cette fois, j'étais prête et entièrement consentante. Je savais qu'il allait le faire et je lui ai alors demandé de m'attacher. Je me suis retrouvée avec un foulard sur les yeux, nue et à plat ventre, ligotée sur mon lit avec un coussin glissé sous mon ventre pour mieux faire saillir mes fesses. Éric a pris tout son temps pour me lécher, me doigter et m'ouvrir avec la bougie. Je me laissais faire et mouillais abondamment. Il m'excitait devant et derrière avec ses doigts et j'étais de plus en plus impatiente de le recevoir au chaud entre mes fesses.

Il m'a lubrifiée avec un gel, puis j'ai enfin senti son gland presser ma muqueuse vierge. J'ai fermé les yeux et dans ma tête, je me suis dit: «Oui, vas-y! Encule-moi! Prends-moi à fond par le cul et dépucelle-moi. Je te donne mon cul, alors vas-y!» J'ai légèrement souffert au passage de son gland qui était nettement plus volumineux que la bougie. Éric a marqué un temps d'arrêt et m'a murmuré:

«Il est vraiment délicieux, ton petit cul. J'en avais vraiment envie, tu ne peux pas savoir. Je bande encore plus en pensant que je suis le premier à te mettre ma queue dans ce trou.»

J'éprouvais toujours une légère douleur, mais j'étais contente, heureuse de lui offrir mes fesses, heureuse et excitée de transgresser un nouvel interdit. Malgré la sensation de brûlure, je mouillais toujours et Éric s'est enfoncé un peu plus en avant et a marqué un nouveau temps d'arrêt pour m'habituer à le recevoir. Il attendait que je m'ouvre, puis il s'introduisait de quelques centimètres de plus. Enfin, je l'ai eu tout en moi. C'est lui qui me l'a annoncé:

«Ça y est, ma chérie. J'y suis à fond. Tu as toute ma bite dans le cul. Tu aimes?»

J'ai surtout aimé quand il s'est mis à bouger, à aller et venir alors que je n'avais plus mal. Éric avait passé ses mains sous mon corps et caressait ma chatte, mon clitoris et mes seins. Je me suis écriée:

«Oui, continue! C'est trop bon! Encule-moi! Encule-moi très fort, mon amour.»

J'étais enculée, baisée par le cul et j'adorais ça! J'avais envie qu'Éric se montre encore plus violent et brutal avec moi, qu'il me fasse mal avec sa queue. Peu à peu, il s'est déchaîné, en me répétant:

«Oui, je vais bien te défoncer le cul, ma petite pute. Te l'élargir avant de me vider les couilles à l'intérieur.»

Moi aussi, j'avais envie de crier des obscénités avec lui, mais étant plus pudique, je me suis retenue. Je creusais mes reins et cambrais mes fesses pour m'offrir complètement. J'étais hors de moi, folle, dans une sorte d'état second et je voulais qu'Éric prenne tout son temps avec moi, qu'il ne jouisse pas trop vite. C'était bien plus fort que la bougie ou ses doigts, une jouissance continue et intense qui montait par paliers successifs.

À chaque coup de reins, je sentais le ventre d'Éric claquer sur mes fesses. À présent, sa queue me transperçait à un rythme rapide et profond. Mon orifice dilaté l'accueillait jusqu'à la garde et, d'un coup, ce fut l'explosion. La mienne et aussitôt la sienne. J'ai crié, je n'ai plus cherché à me retenir et je me suis libérée tandis qu'il jouissait dans mon cul. J'ai eu trop de plaisir pour me rendre compte que Éric se laissait aller avec moi et déchargeait son foutre entre mes fesses.

Quand Éric s'est retiré, j'ai senti son sperme s'écouler de mon orifice. La douleur est revenue, une douleur vive et lancinante, mais j'ai eu envie qu'il me fasse tout de suite l'amour. Cette fois, je voulais qu'il me prenne par-devant, je voulais l'avoir sur moi, son corps étendu entre mes jambes, et dans cette nouvelle étreinte, je lui ai répété à plusieurs reprises:

«Tu m'as très bien enculée. J'espère que tu me le feras encore. Très souvent. Tous les jours si tu veux, c'est tellement bon...»

Un an après, je rompais avec Éric. Il n'avait jamais eu la réelle intention de quitter sa femme pour venir vivre avec moi. Mais grâce à lui, j'ai découvert la jouissance indescriptible de la sodomie : un plaisir qui, pour moi, est devenu incomparable avec les autres pratiques de l'amour. Peu à peu, et alors que j'étais toujours avec Éric, j'ai fini par préférer être sodomisée que prise de façon, disons, plus classique. J'ai découvert les godemichés et des accessoires très stimulants comme les boules de *geisha* ou le chapelet anal. Pour moi, c'est toujours une sexualité liée à l'interdit, mais qui me procure des sensations inégalées.

Stéphanie

Deux amants pour moi toute seule

À la fin du mois de mars, le dernier samedi pour être précise, j'étais sortie dans un bar avec des amis pour fêter la promotion de l'un d'eux. Je portais une petite robe rouge que j'aime beaucoup, car je trouve qu'elle se marie très bien avec la couleur claire de mes yeux et avec la teinte presque blonde de mes cheveux. À franchement parler, je me trouve excitante ainsi vêtue. D'ailleurs, je n'étais pas passée inaperçue aux yeux de

Julien, un grand garçon charmant à la longue chevelure châtain clair bouclée. J'avais bien vu qu'il m'avait repérée parmi toutes les autres filles aussitôt après son arrivée dans le bar. Du reste, il n'avait pas tardé à m'aborder. De toute la soirée, il n'avait eu de cesse de me séduire. Comme je le trouvais attirant et sympathique, vraiment à mon goût, je l'ai facilement laissé m'embrasser. Tandis que je dansais serrée contre lui, des frissons me parcouraient le corps. Tous ses gestes étaient emprunts de sensualité, ses caresses étaient douces et voluptueuses, si bien que je me suis vite retrouvée tremblante de désir. J'avais du mal à cacher mon émoi et quiconque aurait pu glisser sous ma robe aurait vu à quel point je mouillais.

À vrai dire, j'étais dans un tel état que j'aurais docilement suivi Julien aux toilettes pour une *p'tite vite* s'il en avait émis le désir. Au lieu de cela, vers les deux heures du matin, alors que sa cause était déjà entendue, que j'étais à lui, il m'a proposé de partir, là, sur-le-champ, passer la semaine dans le Sud ! J'ai tout d'abord cru à une plaisanterie, mais il m'a montré les deux billets d'avion. Je trouvais cette proposition hallucinante et, ce genre de coup de folie ne se représentant jamais, j'ai tout de suite pensé qu'il ne fallait pas laisser échapper ma chance. Alors, sans penser aux conséquences que cela pouvait entraîner, j'ai accepté sa proposition.

Bien sûr, quelques interrogations me turlupinaient. Pourquoi avait-il deux billets en poche ? Une autre fille venait-elle de lui poser un lapin et n'étais-je qu'une solution de remplacement ? Que cachait cette générosité qui ne se justifiait pas ? Si j'avais refusé de le suivre, m'aurait-il laissée là, en plan, pour se dégoter une autre fille ? J'ai cependant décidé de balayer d'un revers de la main ces questions pour me fier à mon instinct, et bien m'en prit, car je n'ai jamais aussi bien baisé que durant ces quelques jours – je ne suis d'ailleurs pas près d'oublier ces instants. Ils resteront toujours pour moi un souvenir chaudement impérissable.

Avant de partir, Julien m'a prévenue que ça allait être très chaud et qu'il valait mieux que je le sache à l'avance, car une fois sur place, là-bas, il serait trop tard pour faire marche arrière. Je l'ai rassuré en lui affirmant que, loin de m'effrayer, le programme m'alléchait. Je n'en ai pas l'air, mais je suis une vraie petite garce.

À 160 à l'heure dans son cabriolet, nous avons gagné l'aéroport Pierre-Elliot Trudeau, en arrêtant quelques secondes chez moi pour que j'y prenne mon passeport. Comme nous étions en avance – l'avion ne partait que quatre heures plus tard –, Julien a loué une chambre dans un hôtel tout à côté. Là, nous avons fait l'amour sans retenue. Il s'est révélé un excellent amant, endurant, sensible et fin, et en même temps particulièrement vicieux. C'était un fervent adepte de la rosette, et il a grandement mis à contribution mon petit trou.

Le vol s'est déroulé sans que nous nous en rendions compte. Nous étions si fatigués que nous avons dormi tout du long, ce qui m'a permis aussi de reposer mon anus. À l'atterrissage, Denis nous attendait. Julien me l'a présenté comme son meilleur ami. Avec ses grosses moustaches et ses chemises *hawaïennes*, il semblait être un riche oisif qui paresse sous les tropiques. De fait, il habitait une confortable villa dont la terrasse donnait sur une superbe baie.

Pendant que j'étais accoudée à la balustrade, Denis félicitait Julien sur son choix et mon charme.

Clic! Un serviteur m'a photographiée à mon insu. Le premier jour, il ne s'est jamais éloigné de nous pendant que nous baisions Julien et moi, il prenait sans cesse des clichés. Il se montrait cependant si discret que j'ai eu vite fait d'oublier sa présence. Jamais, à aucun instant, il n'a posé la main sur moi. Tout au plus l'ai-je surpris à une ou deux reprises en train de se masturber tout en nous regardant, fasciné.

Plus tard, dans l'après-midi, Julien m'a attirée sur ses genoux. Il me caressait l'intérieur des cuisses tout en me faisant écarter les jambes.

«Admire ce trésor!» disait-il avec un clin d'œil à son ami.

Je n'avais pas encore compris qu'ils avaient l'intention de me baiser ensemble, et ce, jusqu'au bout de mes forces, mais la perspective s'est alors précisée dans mon esprit. Loin de m'effrayer, cela me mettait l'eau à la bouche, car c'était une expérience qui m'avait toujours tentée et que je n'avais encore jamais connue. Le garçon à tout faire continuait à prendre ses photos et j'ai voulu émettre une protestation quant à sa présence, mais d'une même voix Denis et Julien m'ont indiqué qu'il savait très bien ce qu'il avait à faire. Je n'ai plus rien osé dire à ce sujet.

Sous mes fesses, je sentais la queue de Julien se raidir. D'une légère poussée, il m'a fait comprendre qu'il était temps que je descende de ses genoux pour le sucer. Je me suis agenouillée à ses pieds et j'ai embouché sa belle queue.

Goulûment, je l'ai sucé. Avec une main, je lui massais les couilles tandis que je comprimais sa tige à la racine avec l'autre. Je l'ai senti se gonfler encore dans ma bouche. Pendant ce temps, Denis s'est allongé derrière moi et a glissé sa tête sous mes fesses. Je me suis relevée juste ce qu'il fallait pour lui laisser le passage et il a simplement écarté mon string pour laper mon sexe. En quelques coups de langue, il a décapuchonné mon clitoris et m'a fait un délicieux cunnilingus. Julien a fait glisser les bretelles de ma robe sur mes épaules et, en comprimant mes seins menus entre ses mains, j'ai enserré sa bite dans ma poitrine pour lui offrir tout ce dont j'étais capable comme branlette espagnole. La situation m'excitait tellement, surtout le fait de savoir que j'avais deux belles queues vigoureuses rien que pour moi, que j'ai joui en quelques minutes en éclaboussant le visage de Denis de mon jus. Alors, Julien m'a fait remonter sur lui et je me suis empalée sur sa bite. Il me soupesait par les fesses pour me faire coulisser autour de sa queue, tandis que Denis s'était redressé pour me donner sa bite à sucer. J'ai bien vite compris combien il était délicat de faire une bonne fellation tandis que l'on se fait vigoureusement pénétrer, surtout dans la position où j'étais. Du coup, j'ai préféré masturber Denis sur le moment. C'est alors que la présence du garçon photographe est revenue à mon esprit. En me retournant, j'ai vu qu'il ne tenait plus son appareil que d'une main, l'autre étant occupée sur sa bite tumescente. Je lui ai adressé un sourire complice. Julien s'est encore révélé un remarquable baiseur et, sans que je parvienne à le faire éjaculer, il m'a soumise à un second orgasme.

Lorsque le plaisir s'est tempéré, les deux hommes ont entrepris de me mettre nue. Je ne gardais plus sur moi que mon collier de perles et des escarpins. Puisqu'il en était ainsi, j'ai décidé de les déshabiller aussi, puis je les ai poussés chacun dans un fauteuil de rotin. Accroupie entre eux, j'ai pris dans mes mains leurs deux queues turgescentes que j'ai brandies comme des trophées face à l'objectif. La photo prise, je me suis penchée vers Denis pour lui accorder la pipe que je n'avais pas pu lui faire juste avant. Sa grosse queue m'emplissait la bouche. J'y collais mes lèvres comme une ventouse, tandis que je l'excitais encore plus avec mes mains en caressant ses couilles et la racine de sa bite. Alors, Julien est venu se placer à genoux derrière moi et, d'un coup sec, m'a sodomisée. D'un seul mouvement, il m'a pénétrée jusqu'à l'os. Son intromission brutale m'a fait mal, mais comme chaque fois que je me fais prendre par-derrière, le plaisir a eu vite fait de prendre le pas sur la douleur. Denis a bientôt eu envie de se joindre à son copain pour me pénétrer. Aussi a-t-il glissé de son siège pour passer sous moi en plaçant sa verge contre l'orifice de mon con humide. Julien, par un coup de reins encore plus violent, m'a fait me planter sur lui. Voilà comment s'est déroulée mon initiation à la double pénétration. J'ai vraiment trouvé fantastique de sentir coulisser ces deux bites en moi, toutes proches l'une de l'autre, presque à se toucher à travers la fine membrane qui sépare mon con de mon conduit anal. J'ai adoré cette sensation et le plaisir en a été si fort que j'ai vite joui, contractant mes muscles autour de mes deux baiseurs qui, d'un seul mouvement, se sont vidé les couilles en moi.

Ils ne m'ont laissé qu'un court répit avant de me présenter chacun sa queue à branler et à sucer. Ils se sont vite raidis de nouveau, et comme ils avaient compris que j'avais raffolé d'être prise des deux bouts, ils ont renouvelé l'opération dans une posture plus acrobatique. Allongé sur un banc, Denis m'a fait m'empaler par le petit trou sur sa tige tandis que Julien, debout, me faisait faire le grand écart pour me prendre la chatte. Il rapprochait puis éloignait mes cuisses au rythme de ses coups de reins. Ce fut encore meilleur que la première fois ! Lors de cette seconde tentative, j'ai pu savourer pleinement toutes les subtilités de la double intromission et j'ai bien pris garde de faire durer mon plaisir et celui de mes deux amants. Je peux vous jurer que le garçon à tout faire ne ratait alors pas une miette du spectacle que nous lui offrions et que son appareil crépitait, mais j'étais trop absorbée par le plaisir pour y prendre garde. J'ai joui comme un succube entre mes deux hommes.

Cette soirée fut à l'image du reste de la semaine. Je n'ai pas fait beaucoup de tourisme, mais je me suis fait pénétrer par tous les bords sans interruption. Ils me baisaient tellement bien que je ne cessais d'en redemander. Le garçon de service n'a pas été présent les jours suivants, alors qu'il aurait pu faire des photos d'une pornographie absolue, mais il faut croire que Julien et Denis préféraient jouir de moi en exclusivité. Je pense qu'ils n'en revenaient pas d'être tombés sur une fille aussi audacieuse que moi, qui en voulait toujours plus, qui était toujours prête à se faire éclater les orifices. D'ailleurs, j'ai dû leur en faire bien plus voir qu'ils ne m'en ont fait baver. Je vous promets que je ne les ai pas ménagés. Parole de femme ! Ce fut au point qu'à la fin programmée de mon séjour, ils m'ont proposé de rester quelques jours de plus. J'ai décliné l'invitation, car si se faire baiser autant est jouable l'espace de quelques jours, ça ne l'est pas sur une plus longue période – d'ailleurs, après mon retour, j'ai dû m'astreindre à quinze jours d'abstinence tant mes orifices me brûlaient à force d'avoir été pris. Et à faire durer cela plus longtemps, nous aurions dégradé l'intensité qui nous avait tant unis pendant la semaine et cela nous aurait gâché à tous les trois le souvenir merveilleux, brûlant et lascif que nous avons de notre rencontre.

Karine

Rapports de force

C'est une aventure si étrange que je ne peux la garder pour moi seule, mais quand j'essaie d'en parler avec mes amies, je n'entends que des ricanements.

Il y a trois mois, j'ai rencontré un vieux monsieur, âgé d'environ soixante ans, mais encore très séduisant, alors que j'attendais au comptoir d'un bar avec une amie pour aller au cinéma. Il m'a gentiment fait la cour et j'étais plus attendrie qu'autre chose. Lorsque je suis partie au cinéma, il m'a promis que l'on se reverrait. J'ai souri. Pourtant, la chose s'est produite à plusieurs reprises, car nous habitons le même quartier. Chaque fois, il m'invitait à prendre un verre avec lui et me poursuivait de ses assiduités. De fil en aiguille, voilà un mois, je l'accompagnai dans sa garçonnière, comme il appelle son appartement. Je n'étais vraiment pas consciente de ce que je faisais et je me suis laissé embrasser. Ses mains se promenaient sur mon corps, dans mes cheveux, sur mon visage. Il me déshabilla très lentement, suçota délicatement mes seins : j'étais surprise de me sentir mouiller.

Il découvrit progressivement mon corps et cela n'empêcha pas que je me retrouve nue dans ses bras. Le fait que je réponde très peu à ses caresses ne semblait pas le gêner. Je devinais son sexe bandé sous son pantalon. Puis il m'a fait m'allonger sur son lit, avant de se mettre à me caresser avec une plume sortie de je ne sais où ! La sensation était extrêmement agréable et me faisait gémir de plaisir. Je fermais les yeux pour savourer cette caresse et, toute à mon plaisir, je ne réalisai qu'au dernier moment qu'il était en train de m'attacher sur le lit. Je paniquai un court instant, mais sa voix douce chercha à me calmer en me promettant qu'il ne me ferait aucun mal. Effectivement, les caresses se poursuivirent, légères comme la plume qui les prodiguait, brûlantes pourtant. Bruno, c'est son nom, se déshabilla et il faut reconnaître qu'il avait gardé un bien beau corps pour son âge. Nu, il frottait maintenant son sexe dur contre tout mon corps. Ses testicules caressaient mes seins. Il m'embrassait les lèvres de son gland avant de me glisser son sexe dans la bouche. Il n'y resta pas, j'eus juste le temps de passer la langue dessus. Je dois reconnaître que j'étais alors très excitée et impatiente de voir la suite. Si j'avais été libre de mes mouvements, j'aurais empoigné son sexe pour me l'enfoncer dans la chatte, mais je ne pouvais rien faire d'autre que subir. Lui continua à n'en plus finir ses caresses et je me sentis bouillir. Tout mon corps était en feu. J'étais toujours au point limite de l'orgasme. Finalement, il me banda les yeux. Je ne dis rien, j'étais en confiance. C'est alors que je sentis son phallus s'enfoncer en douceur dans mes chairs. Je faillis jouir immédiatement, mais il sut me calmer, repousser mon plaisir. Puis il me pénétra, de façon inattendue, car je ne pouvais le voir. Toujours à sa merci, je ne pouvais rien contrôler. Mais je sentais le plaisir monter.

C'était devenu intolérable : je ne pouvais plus résister et je connus un orgasme ravageur. Je hurlais, je couinais, mon vagin se contractait autour de sa queue et lui, il entretenait ma jouissance en me pistonnant de plus en plus fort. Je jouis pendant au moins trois minutes d'affilée. C'était affolant. Puis ma jouissance reflua, s'apaisa et il se retira de moi. Je crois l'avoir déçu, car je ne l'ai pas senti éjaculer. Je lui demandai si j'avais fait quelque chose de mal. Pas de réponse. Bientôt, à ma grande surprise, je sentis son sperme se déverser par rasades sur ma bouche. Je l'avalai, me pourléchai pour ne pas en perdre une goutte tandis que j'entendais Bruno pousser des râles de plaisir. Ainsi donc, il se finissait en se branlant au-dessus de mon visage.

Il me libéra alors de mes entraves et je ne sus quoi dire. C'est lui qui mit fin à ma gêne en me disant : « Allons, ma petite, rhabille-toi et file vite ; tu vas être en retard à ton rendez-vous. »

J'acceptai la proposition et je m'enfuis.

Le croirez-vous? Quand j'ai revu Bruno le lendemain, j'ai senti mon bas-ventre s'enflammer et je suis allée à sa rencontre. Bien sûr, nous nous sommes retrouvés bien vite chez lui. Cela fait maintenant un mois que nous nous voyons plusieurs fois par semaine, et chaque fois, cela se passe à peu près de la même façon: il m'attache sur le lit, sur le rebord de la table ou debout les bras relevés et accrochés au lustre, et il me bande toujours les yeux avant de me prendre.

Je pars très rapidement après que nous avons fait l'amour: il ne cherche pas à me garder, c'est tout juste s'il me voit encore. J'avoue que je prends un énorme plaisir à ces jeux, il me fait toujours jouir et le regard des autres sur moi ne me gêne plus. J'ai craint d'entrer dans une spirale infernale où j'aurais toujours eu besoin de plus de perversité pour faire l'amour. J'ai eu peur de faire fuir les garçons de mon âge avec mes histoires, mais c'est fini. J'en profite tout simplement...

Nancy

Strip-poker d'enfer

L'an dernier, avec Claude et deux autres couples, Jean et Stéphanie et Pierre et Daphné, nous étions allés passer le week-end sur le bateau de dix mètres que possèdent mes parents et qui est amarré sur la rivière Châteauguay, en Montérégie.

Le soir, les halètements traversaient les minces cloisons des cabines, et je crois que nous étions tous excités, même si aucune idée de partouze ne nous traversait l'esprit. Pas encore. Tout a cependant basculé un jour de mauvais temps.

Claude a proposé un *strip-poker.* Le perdant ôtait deux vête-ments, le gagnant en remettait un – nous imaginions qu'ainsi les choses ne dégénéreraient pas trop. Quand Pierre a pro-posé que le premier duo mixte nu fasse l'amour dans la po-sition que choisirait celui d'entre nous qui portait encore le plus de vêtements, l'adhésion de tous a été difficile à em-porter, mais nous y sommes arrivés. Les premiers seins nus, les miens, ont été accueillis par des sifflets admiratifs, et je n'ai pu m'empêcher de me lever pour faire glisser mon sou-tien-gorge comme une effeuilleuse, serrant les bras contre ma poitrine avant de remonter les mains le long de mon ventre. Je sentais ma chatte toute prête à l'action, suppliant presque qu'une verge bien dure vienne lui rendre visite! Malgré la résistance affichée par certains au début, plus le temps passait et plus nous étions tous impatients, chargés de désirs inconnus. Tout le monde y allait de son petit nu-méro pour se déshabiller.

Quand Jean a dû retirer son pantalon, il est monté sur la table, et comme par mégarde, il a entraîné un peu son caleçon avec son jean. Son phallus était raide. J'avais envie de le sucer, et je n'ai pu m'empêcher de déposer un doux baiser à travers le tissu sur son gland. Daphné rougit de mon audace, et planta son regard au sol. Ce fut pourtant elle qui finit la première à poil. Il lui fallut quelques secondes pour oser ôter sa petite culotte qui masquait sa pudeur. Après une longue et profonde respiration, elle prit cependant son courage à deux mains, grimpa sur la table et retira ce triangle de tissu, si doucement que le geste prit une phénoménale charge érotique. Une salve d'acclamations accueillit la dé-couverte de sa touffe aux reflets dorés, aux lèvres entre-bâillées et couvertes d'une rosée de désir. Elle fit le tour de la table, comme si elle venait de se libérer du poids de lourds tabous.

Jean et Pierre étaient à égalité, en caleçon tous les deux. On sentait que Pierre allait tout faire pour ne pas offrir sa copine à Jean qui avait, ça se voyait sur ses traits, une énorme envie de la culbuter sur la table. Claude ne perdit qu'à un fil, disons pour un slip, le droit de la sauter, derrière Jean qui arracha son caleçon, exhibant fièrement son sexe turgescent dont les veines apparentes étaient gonflées de sang, alors que dans son désir de garder Daphné pour lui, Pierre regagna à son corps défendant plusieurs vêtements et finit le plus habillé de tous. Non seulement il n'était pas parvenu à garder sa copine, mais il avait à choisir comment elle allait se faire baiser par Jean. Un peu de colère et beaucoup de jalousie l'animaient, cela va de soi, mais par dépit il opta pour la levrette. Daphné le regarda avec des yeux effarés, mais la petite vicieuse qui avait surgi en elle lui suggéra de se soumettre au jeu. Elle imaginait déjà le plaisir qu'elle allait ressentir à se faire prendre devant son mec. Elle se mit à quatre pattes. Ses seins ballottaient au gré de ses mouvements, alors que son sexe ouvert et détrempé nous offrait un réjouissant cours d'anatomie. Même son anus était luisant.

Jean ne se fit pas prier pour s'installer derrière elle, la bite dressée. Il prit ses seins tandis qu'il frottait sa queue le long de sa fente, puis sa main droite glissa le long du ventre musclé de Daphné et plongea dans sa chatte pour en titiller le clitoris. Daphné se tordait de plaisir et ne pouvait retenir de longs halètements. Je suis sûre qu'elle devait avoir honte de jouir sous le regard de tous, mais qu'elle prenait en même temps un pied terrible. Les préliminaires de Jean ne durèrent toutefois pas bien longtemps. Sa main se retira du vagin, glissa le long de la fente de Daphné, de ses fesses. Un doigt s'introduisit dans son anus avant de poursuivre sa course, et d'un coup franc il la pénétra fermement, engloutissant toute la longueur de sa bite dans la caverne de Daphné. Elle poussa un long gémissement tandis que je ne pouvais me retenir de me frotter les cuisses l'une contre l'autre pour me branler discrètement.

Pierre, surexcité par le spectacle de sa copine en train de se faire baiser, avait sorti sa queue et se masturbait avec violence. Je n'ai pas tout de suite remarqué que Stéphanie avait pris la main de Claude pour se la mettre dans la culotte alors qu'elle branlait mon mec. Jean continuait à besogner Daphné qui jouissait de plus en plus fort, jusqu'à ressentir un orgasme où elle libéra ses sensations en poussant des cris de plaisir. C'est alors que Jean se retira et lui éjacula sur les fesses.

« À votre tour ! » dit-il, tandis que Daphné se mettait à le sucer ; Pierre m'attira sur le canapé et se coucha sur moi, me léchant partout, tandis que Claude était en train de pénétrer Stéphanie, debout contre le mur. Elle avait les jambes enroulées autour de sa taille. Nos spasmes de plaisir se mélangeaient, s'entrechoquaient.

Nous découvrions des plaisirs inconnus. Jamais les murs de cette cabine n'ont dû être témoins d'autant d'orgasmes que ce jour-là. À la fin du week-end, chacun est rentré chez soi et nos rencontres ont été plus rares, mais régulières. Certains ont déjà commencé à évoquer non pas un week-end, mais une éventuelle semaine d'évasion sur le lac Saint-Louis l'an prochain...

———————————————————————————

Manon

Mon amant est bi

Je vis avec Jean-François depuis près d'un an et il a apporté bien des changements dans ma manière de concevoir le sexe et la vie de couple. Il faut dire que Jean-François n'est pas un homme comme les autres. Il est homosexuel, enfin bisexuel plus exactement, mais quand je l'ai rencontré, j'ai cru qu'il n'aimait que les hommes. Et pour cause: il était vautré dans les bras d'un autre garçon qu'il embrassait à pleine bouche. Dommage, car je l'avais repéré au premier coup d'œil et je le trouvais très mignon. Ce n'était pas la première fois que j'éprouvais de l'attirance pour un garçon qui s'avérait gai – cela a peut-être un sens, il faudrait que je voie un psy! On verra ça plus tard, car j'avais appris une bonne nouvelle: Jean-François était *récupérable*! C'est une copine qui m'en avait informée. Elle était bien placée pour le savoir parce qu'elle avait couché avec lui. J'ai tenté de la cuisiner un peu, mine de rien, pour ne pas trop montrer que je m'intéressais à lui. Heureusement, ma copine était bavarde, et elle m'a tout raconté de A à Z, en s'attardant longuement sur ses préférences sexuelles. J'ai ainsi appris, dans le désordre: que Jean-François était bi, qu'il se montrait passif avec les garçons, mais qu'il était actif et très performant lorsqu'il se trouvait en compagnie d'une femme (en tout cas, c'était l'expérience qu'en avait ma copine) et enfin, qu'il était aussi sympa qu'il était mignon. Tout compte fait, ce n'était pas mal!

Ragaillardie, je suis retournée traîner dans son coin. Je l'ai regardé, je lui ai adressé des sourires, et cela a semblé lui plaire. Avant de partir avec son mec (dont j'étais déjà follement jalouse), il m'a discrètement glissé sa carte professionnelle, si bien que j'ai pu l'appeler dès le lendemain. Nous nous sommes revus le soir pour souper ensemble. Jean-François s'est montré charmant pendant tout le repas. Visiblement, il cherchait à me séduire. Moi j'étais déjà prête à m'abandonner. D'ailleurs, pour que ce soit clair, je lui ai dit:

«Avec toi, c'est quand tu veux, où tu veux! Il m'a répondu:

— Ce sera tout de suite et ici même. J'ai rétorqué:

— Sur la table devant tout le monde?»

Cela l'a fait rire. Non, il n'allait pas me baiser devant tout le monde, mais si j'avais le goût de petites aventures coquines, il me proposait d'aller faire un petit tour aux toilettes.

Je me suis essuyé les lèvres avec ma serviette et me suis levée sans un mot pour me diriger à l'étage inférieur. Quelques secondes plus tard, Jean-François entrait à son tour dans la petite cabine. Il m'a plaquée brutalement dos au mur. J'ai relevé une jambe pour encercler sa taille. Je sentais déjà son érection. Nous avons baisé debout, sa bouche dans mon décolleté pour dévorer mes seins, sa queue plantée bien droite dans mon sexe mouillé. Il avait pris le temps de se couvrir d'une capote avant de m'enfiler et, une fois en moi, il m'a limée avec rage, face à moi d'abord, puis en me collant ventre et seins contre le mur. Dans les deux sens, j'ai eu le temps d'avoir du plaisir. Il me faisait vraiment de l'effet ce mec, car je ne suis pas aussi jouisseuse d'habitude ! J'aurais aimé le finir avec ma bouche, mais je m'y suis prise trop tard : Jean-François venait de remplir sa capote. Lorsque nous sommes retournés dans la salle du restaurant, j'ai bien noté quelques regards curieux. Il faut croire que notre petite incartade n'était pas passée inaperçue. De toute façon, nous ne nous sommes pas attardés. Nous avions envie de remettre ça au plus vite. J'ai branlé Jean-François pendant toute la route du retour, et à chaque feu rouge il avait droit à quelques baisers et coups de langue sur sa queue. Je suis une gentille fille, non ? Chez lui, il m'a offert une nuit d'amour comme je n'en avais pas connu depuis longtemps. Ma petite aventure avec ce drôle de mec était bien partie. J'étais ravie... et déjà amoureuse.

Mais les choses n'ont pas tardé à se compliquer. Nous étions ensemble depuis un mois, et je pensais l'avoir *guéri* des mecs – je me fourrais le doigt dans l'oeil ! Un soir, après m'avoir fait l'amour, Jean-François m'a avoué que dans la journée, il avait violemment eu envie d'un garçon qu'il avait croisé au travail. Je lui ai demandé naïvement ce qui l'attirait chez les hommes.

« Je ne sais pas comment t'expliquer, mais sache que c'est un besoin », m'a-t-il répondu.

Cela m'a donné à réfléchir. Ou je le laissais vivre sa double nature, ou bien je ne tarderais pas à porter des cornes...

J'ai opté pour la première solution, même si cela ne m'enchantait guère. La concurrence des femmes, j'ai l'habitude, mais des mecs, c'était complètement nouveau pour moi. Pour sauver la situation, j'ai proposé à Jean-François de rencontrer un autre mec, à voile et à vapeur comme lui, et d'en profiter tous les deux. Il m'a traitée de petite vicieuse, mais il a accepté avec plaisir. Il ne me restait plus qu'à lui trouver un mec pour ce trio. Je l'ai cherché en passant une annonce sur un site de rencontre sur Internet, car je ne voulais pas que Jean-François couche avec un type qu'il connaissait déjà. J'espérais secrètement que personne ne répondrait, ou alors juste des types affreux. Pas de chance, nous avons reçu une vingtaine de propositions, avec pas mal de mecs intéressants. Nous avons éliminé ceux qui s'intéressaient trop à Jean-François et pas assez à moi. Au bout du compte, c'est un certain Carl qui a emporté le morceau, si j'ose dire. Nous l'avons reçu à la maison. Carl, qui se présentait comme parfaitement bi, s'est tout de suite montré charmant avec nous deux, mais je sentais bien qu'il accordait sa préférence à Jean-François. Cela m'a foutu un peu en rogne. Nous avons quand même commencé à faire l'amour.

Carl était assis entre nous pour nous embrasser l'un après l'autre. Jean-François a rompu cette belle symétrie pour s'agenouiller face à notre invité, et d'une main caressante il a fait sortir sa queue de sa braguette. Carl se laissait faire en me souriant et il m'a semblé qu'il me narguait un peu, mais ce n'était peut-être que de la parano de ma part. Peut-être était-il tout simplement content. Pour être fixée, j'ai écarté les cuisses et j'ai susurré : « Viens me lécher la chatte », pendant que Jean-François lui faisait une fellation.

Je me suis dit que s'il n'était qu'aux hommes, ça allait le bloquer et qu'il allait laisser tomber le masque. J'ai raté mon coup ! Sans paraître choqué par ma demande, Carl s'est mis en position pour m'enfiler sa langue dans la fente. Il m'a super bien mangé la chatte, ce salaud, ajoutant même un petit doigt dans le cul pour faire bon poids. Du coup, j'ai un peu oublié mes craintes pour savourer la situation. Honnêtement, c'est plutôt excitant pour une femme de faire l'amour avec deux hommes, et j'ai adoré me faire prendre par mes partenaires. Mais ce qui m'a le plus troublée lors de ce trio, c'est de voir Jean-François se faire baiser par Carl. Je n'avais jamais assisté aux ébats d'un couple d'hommes, et je suppose que cela m'aurait laissée indifférente si mon propre mec n'y avait pas participé. Là, c'était très différent. À un moment de la soirée, Jean-François s'est mis en levrette et il n'a pas eu besoin d'en faire plus pour faire comprendre quel était son réel désir. Carl s'est aussitôt placé derrière lui, en tenant sa queue bien bandée dans la main. Je me suis approchée, moi aussi, pour voir ça de près. J'ai vu en gros plan le gland de Carl glisser dans la raie poilue de mon mec, et se poser sur sa rondelle. Moi, quand on m'encule, j'ai toujours un peu d'appréhension à ce moment-là. Jean-

François avait-il peur lui aussi ? C'était trop tard pour le savoir : Carl venait d'enfoncer son engin entre les fesses de mon mec. Dès que sa verge a franchi le guet, j'ai détourné les yeux pour observer le visage de Jean-François. Une légère grimace déformait ses traits. Je l'ai trouvé très émouvant.

Cette sodomie lui donnait un côté féminin que je découvrais chez lui. J'ai caressé ses cheveux et je l'ai embrassé. D'une main j'ai branlé sa queue qui pointait sous son ventre, de l'autre, je me suis emparée des testicules de Carl, qui ballottaient en suivant le mouvement de ses coups de reins. En me glissant sous leurs corps soudés par l'amour, j'ai aussi pu lécher et sucer tout ce qui se présentait à ma bouche. Les deux garçons me laissaient faire à ma guise ; pourtant, malgré toute leur gentillesse, j'avais la sensation d'être en surnombre. Je sentais bien que j'étais là presque uniquement comme assistante. Il était évident que, s'il se passait quelque chose d'important, et c'était le cas, c'était entre eux que cela se produisait. Ils grognaient tous les deux, Carl d'un ton triomphant, Jean-François d'une manière plus plaintive et plus aiguë. Ils étaient beaux tous les deux et je me suis surprise à me caresser en les jalousant un peu pour l'intensité de leur étreinte. Quand ils se sont envoyés en l'air, ils ont tout fait pour bien me le montrer, et je me suis sentie réellement exclue pendant ces quelques minutes. Jean-François a dû s'en rendre compte, car il est aussitôt venu vers moi pour me tourner sur le ventre. À nouveau dans son rôle de mâle, il m'a offert une pénétration anale comme je les adore. Dès qu'il est sorti de moi, Carl est venu prendre la place encore toute chaude, et lui aussi m'a enculée. J'étais gâtée de ce côté-là ! Pour le reste non plus je n'ai pas eu à me plaindre.

Lorsque Carl nous a laissés, il devait être presque cinq heures du matin. Nous n'avions pas passé toutes ces heures à baiser, mais presque. C'est l'avantage du trio, où l'un des membres peut faire la pause pendant que les autres s'envoient en l'air ! Du coup, j'étais complètement crevée, mais avant de m'endormir, j'ai voulu avoir une discussion sérieuse avec Jean-François afin de savoir ce qu'il avait pensé de notre petite partie à trois et si cette formule le satisfaisait. Il a été on ne peut plus franc avec moi, il m'a dit qu'il ne pourrait de toute façon jamais se passer de moments comme ceux-ci. D'une certaine façon, je me suis sentie coupable de ne pas pouvoir lui apporter à moi seule tout ce qu'il faut à son équilibre sensuel et sexuel. J'essaie de me raisonner en me disant que le problème ne vient pas de moi. Dans l'absolu, je n'ai rien à me reprocher. Je baise bien, tous les hommes avec qui j'ai couché sont d'accord sur ce point. Je suis bonne et j'adore baiser, donc de ce côté-là je fais tout ce qui est en mon pouvoir pour le satisfaire. En moi, je sais pertinemment bien que c'est lui qui n'est pas tout à fait comme les autres et qui a des besoins qui me dépassent. En fait, si je veux préserver notre relation, je n'ai pas d'autre choix que de tolérer sa différence.

Du coup, Carl est revenu plusieurs fois nous voir, et d'autres mecs se sont introduits dans notre intimité. Jean-François semble satisfait de cet arrangement, et je crois pouvoir affirmer qu'il ne me trompe pas. Remarquez, je trouve mon compte moi aussi dans cette situation bizarre, même si je ne peux m'empêcher de penser qu'un jour, la concurrence de ces hommes pourrait être fatale à notre couple.

Si cela se produit, j'aurai fait ce que je pouvais pour garder Jean-François. Mais j'ai confiance et je pense même que nous avons trouvé, par l'entremise de ces *amants invités,* une sorte d'équilibre. Et puis peut-être que c'est le contraire de ce que je crains qui se produira; je veux dire que, si ça se trouve, avec le temps, Jean-François verra s'éteindre son goût pour les hommes. Dans ce cas-là, ça pourrait être moi qui serais en manque de trio et qui m'ennuierais en simple tête-à-tête avec lui, qui sait?

Anne-Marie

Trio sur canapé

Je ne sais pas si nous sommes toutes faites pareilles, mais moi, mes envies de baiser, ça va et ça vient suivant l'humeur du moment. Parfois, c'est un besoin vraiment très fort, et puis ça passe. Mais ça n'a pas été le cas pendant les vacances. J'avais une envie folle de me faire prendre par tous les trous et par n'importe quel mâle qui en avait envie.

J'étais à La Havane, à Cuba, depuis trois jours, je traînais un méchant besoin de me faire sauter et ce qui n'avait rien arrangé, ce sont les deux *coups* que j'avais loupés. Un beau brun, gueule d'amour aux yeux bleus, qui m'avait pelotée pendant près d'une heure dans un café avant de se rappeler soudainement qu'il avait un autobus à prendre, et cet homme de belle apparence, mais dont la femme nous était tombée dessus alors que la chose semblait se conclure.

Bref, je me sentais sous pression, à peu près comme une cocotte-minute sur le point d'exploser! Et ce ne sont pas les trois ou quatre branlettes rapides à deux doigts que je m'étais faites qui m'avaient calmée. Au contraire, je crois que ça avait empiré les choses. Alors quand Jacques et Michel, deux Québécois en vacances eux aussi, ont commencé à m'entreprendre, j'étais tendue, mais pas trop prude.

L'histoire avait commencé tout bêtement. Ils voulaient faire une photo en souvenir de leurs vacances et ils m'ont demandé si je voulais bien poser avec eux. Il y avait un photographe ambulant qui s'est chargé d'immortaliser nos attitudes empruntées et nos sourires vides et niais. Après ils ont insisté pour me payer un *mojito* au bar de leur hôtel, et puis sous un prétexte quelconque nous sommes montés dans leur chambre.

Déjà, dans l'ascenseur, ils avaient de drôles de petits sourires en coin et ils m'ont serrée entre eux deux. Je pressentais un peu les scènes qui allaient suivre et, pas farouche, je frottais mes seins contre la poitrine de Michel, pendant que Jacques me caressait consciencieusement les fesses – nous n'étions heureusement que tous les trois dans la cabine. Heureusement aussi que la chambre était au quatrième parce que plus haut, je me serais retrouvée à poil dans l'ascenseur! Tout de suite, dès que nous sommes arrivés dans la chambre, Jacques a ouvert sa braguette et il m'a demandé de lui faire une fellation. J'étais tellement chaude que je n'ai pas hésité un seul instant. Il ne bandait pas encore, mais il avait un beau paquet. Le genre de service trois-pièces appétissant. Et sa paire de testicules était juste comme je les aime. Pas de ces minables petites boules à moitié vides et pendouilllantes ; non, c'était deux grosses belles couilles majestueuses, lourdes, dodues et agréablement gonflées. J'ai commencé à y promener mes lèvres – ça lui plaisait bien si j'en juge par les changements de rythme de sa respiration. Sa grosse queue semblait autonome et se promenait sur mon front, mes joues et jusque sur mon nez. Pendant ce temps, Michel me déshabillait sans se presser, comme si j'étais un paquet-cadeau ! J'avais hâte de lui offrir ma dernière surprise et ça m'excitait d'autant plus. Surtout qu'il entrecoupait mon déshabillage de toute une série de petites caresses bien agréables, sournoises et vicieuses. Il m'infligeait une série de petits pinçons qui m'asticotaient et me vrillaient les nerfs, ou encore il me mettait de légères claques sur les cuisses et les fesses. Je me sentais de plus en plus ouverte et disponible pour leur donner tout ce qu'ils voulaient de mon corps, et pour prendre, moi aussi, le plaisir que mon corps réclamait.

Quand Jacques m'a ordonné de lui lécher les testicules, j'ai tendu la bouche pour être encore plus près. Je n'ai pas pu les avaler toutes les deux en même temps. Elles étaient trop grosses. Mais je me suis appliquée à les sucer l'une après l'autre. Ça remplissait toute ma bouche et j'en avais des filets de salive qui coulaient sur le menton. Cette position, c'est un des trucs que je préfère dans les préliminaires : la tête à moitié coincée entre les cuisses d'un mec et la bouche pleine de ses couilles. J'ai vraiment l'impression d'être une femme entièrement soumise à un mâle. Mais en même temps, j'éprouve une incroyable sensation de puissance puisqu'il me confie la partie la plus fragile de son corps. Je faisais donc rouler les deux gros testicules de Jacques l'un après l'autre dans ma bouche, tout en les léchant par moments à coups de langue prudents. Et j'étais tellement absorbée que je ne faisais pas trop attention à ce que me faisait Michel. Je sentais bien qu'il continuait à me tripoter un peu partout, s'attardant plus volontiers vers mon ventre et mon pubis. J'ai sursauté un peu quand il s'est occupé du bout de mes seins. Il les a pincés si fort que je n'ai pas pu m'empêcher de gémir. Il en pinçait les pointes entre le pouce et l'index comme s'il avait voulu les faire exploser. Ce n'est pas que ça me déplaise, mais il m'avait eue par surprise. Il savait exactement sentir l'instant où il fallait s'arrêter. Mes tétons en feu irradiaient des éclairs dans ma poitrine jusque dans mon ventre et dans mes reins.

J'avais eu un mouvement instinctif pour relever la tête quand les pinçons de Michel avaient débuté, mais Jacques m'avait replacée vite fait comme il en avait envie. Je l'ai suivi d'autant plus volontiers que sa queue prenait des proportions de plus en plus intéressantes. Il n'était pas du genre à bander d'un seul coup. Sa queue s'était allongée millimètre par millimètre et elle avait gonflé tout aussi progressivement. J'étais heureuse de savoir que c'était mes gâteries qui en étaient la cause. Bien sûr, il ne bandait pas encore au point de se tenir tout droit, mais c'était déjà un beau morceau bien consistant qui me donnait envie de le sentir dans moi. Michel continuait à me travailler les tétons obstinément. J'aurais pu croire qu'il les avait branchés sur un courant électrique qui m'envoyait des petites décharges régulières et délicieuses. Tout en les pinçant, il les tordait entre deux doigts et je sentais qu'ils étaient durs comme des petites bites bandées.

Comme le sexe de Jacques commençait à prendre du volume, je décidai de passer aux choses sérieuses! Malgré le volume et la longueur de sa queue, elle n'était pas encore décalottée. C'est à ça que je me suis attaquée en premier. J'ai repoussé le prépuce lentement avec le bout de ma langue. Il n'était pas encore complètement rigide, mais il était sérieusement excité vu les petites gouttes de liqueur qui suintaient du méat et qui avaient un goût fort et sauvage qui m'enchantait. Il a eu un grand frisson quand j'ai glissé la pointe de ma langue dans le minuscule trou de son gland.

Michel avait décidé de faire la fête à mes fesses. Ou plus exactement, comme j'ai vu plus tard, à mon petit trou. Mais il avait commencé par les fesses, les caressait à pleines mains. Il les écartait, il les rapprochait, il les écartait de nouveau. J'adore qu'on touche et qu'on palpe mes fesses et je creusais les reins pour le lui faire comprendre.

Je me régalais en léchant la queue de Jacques. Ses soupirs et ses petits grognements me faisaient comprendre qu'il appréciait le traitement. Au début, je l'avais léché à grands coups de langue assez calmes pour le faire durcir. Ensuite, je m'étais permis quelques fantaisies. Je suivais les veines gonflées qui variaient du rouge au violet sous la peau violacée aux reflets de satin. Mais je ne touchais plus au gland, je n'avais pas envie qu'il jouisse trop vite. Je voulais que ça dure le plus longtemps possible – en plus, son membre était bon à lécher, avec une peau parmi les plus fines et les plus douces que j'avais connues et une consistance idéale, charnue et solide à la fois. Michel, obstiné, persistait dans ses explorations et il me palpait le cul avec une douceur et une délicatesse qui m'étonnaient. Pour m'exciter, il glissait sa main tout le long de la raie en contournant la zone la plus sensible; il tournait autour et l'effleurait avec précision. J'ai poussé un long gémissement de plaisir quand il a posé son doigt sur mon anus. C'était aussi doux et voluptueux qu'une caresse de soie.

Tout le corps de Jacques s'est tendu quand je lui ai taquiné le filet. Je le mordillais de deux ou trois petits coups de dent, et comme pour me faire pardonner, je passais ma langue sur l'endroit que je venais d'agacer. Sa queue était d'un splendide rouge vif et elle était légèrement recourbée en l'air vers son ventre. Son gland plus sombre et tout luisant de la liqueur laissait présager de ce qui allait suivre...

J'ai un peu perdu les pédales quand Michel a rentré un doigt dans mon cul. Comment avait-il deviné que ça faisait plus de huit jours que j'attendais cet extraordinaire plaisir? Il avait des doigts habiles, épais, aux articulations noueuses. J'ai couiné de plaisir comme une petite souris prise au piège. Il m'avait tellement excitée que j'étais grande ouverte, déjà prête à me faire mettre. J'ai bien resserré mes muscles autour de son doigt, pour le sentir mieux et plus fortement glisser et s'enfoncer entre mes reins. Mais il en a très vite rajouté un deuxième et je n'ai plus été capable de me retenir. J'aimais qu'il perfore mon cul, mais je voulais qu'il s'y installe. Qu'il me possède vraiment sans me ménager.

Je suis revenue vers Jacques. Sa queue se balançait doucement et c'est tout juste s'il avait besoin de l'entretenir d'une petite caresse de temps en temps. Rien qu'à l'idée qu'il allait bientôt me l'enfiler, mes reins s'échauffaient et je m'ouvrais sous les doigts de Michel qui me fouillaient profondément. J'ai frotté les pointes de mes seins sur les cuisses musclées de Jacques, dans une esquisse de branlette espagnole. Nous étions bien enveloppés tous les trois dans une bonne odeur de corps en chaleur, mélange de transpiration et de foutre qui me faisait petit à petit perdre la tête. Le gland de Jacques était si beau et tellement tentant que je n'ai pu résister plus longtemps au plaisir de le prendre dans ma bouche et de l'aspirer tout en creusant les joues. Il a donné un coup de reins un peu brusque et sa queue est entrée jusqu'au fond de ma gorge. J'ai voulu crier sous l'intrusion de cette tige dure et épaisse quand je me suis rendu compte que Michel, persistant dans ses manœuvres et dans ses intentions premières, était sur le point de m'enculer. Il avait posé son gros gland contre mon anus en me tenant fermement aux hanches. Alors là, j'ai crié vraiment. D'appréhension au début, puis très vite de plaisir. Michel possédait une bite idéale. Ni trop grosse ni trop maigre, ni trop longue ni trop courte, ni trop dure ni trop molle. Idéale, quoi! Enfin pour moi. C'était exactement ma pointure! Et elle s'enfonçait à toutes petites poussées saccadées, mais ressortant un peu moins chaque fois.

Je tétais le gland de Jacques comme j'aurais fait avec une énorme tétine, mais sous les coups de butoir qui résonnaient dans tout mon corps, je l'ai fait ressortir de ma bouche. Pour pouvoir gémir tout à mon aise pendant que Michel me possédait avec une lenteur et une maîtrise qui me ravissaient. Je n'aime pas trop les queues sèches et dures comme des bouts de bois. J'ai l'impression que ce n'est pas vivant, que c'est juste un truc qui rentre en moi comme un godemiché. La queue de Michel, au contraire, accompagnait tous mes mouvements en souplesse. Elle se prêtait au moindre de mes coups de reins. Et pourtant, je peux vous dire qu'elle me remplissait bien! Et quand il tapait son ventre contre mes fesses en m'enfilant à fond, je sentais qu'il ne pouvait pas aller beaucoup plus loin. J'avais rarement été aussi bien enculée. Michel était lent et régulier. Il ressortait maintenant sa queue presque à la limite du gland pour ensuite m'enfourner posément de toute sa longueur. Je frissonnais chaque fois que je sentais ses couilles s'appuyer contre mon périnée. Et là, il donnait un dernier coup pour bien marquer que j'étais sa femelle et qu'il me couvrait de toute la puissance de sa queue. Chaque fois, je poussais un petit cri. Bonheur et plaisir. Quand Jacques a tiré mes cheveux pour m'attirer vers lui, j'ai compris que c'était tout ce que j'attendais depuis une bonne semaine. Ils allaient jouir de moi et en moi tous les deux en même temps. J'avais envie d'avaler leurs deux queues; celle de Michel par le cul et celle de Jacques par la bouche. Je voulais aussi qu'ils m'arrosent tous les deux le visage, les seins et le ventre de leur sperme chaud. Je voulais les sentir et les voir gicler aussi fort qu'ils pourraient, en recevoir partout.

Je savais bien qu'il y aurait d'autres figures. Je désirais que Jacques me prenne aussi et je brûlais de goûter avec ma langue la délicieuse bite de Michel. Mais pour ce premier coup, je ne voulais plus qu'ils changent de place. J'attendais leur jouissance pour prendre un plaisir fabuleux. Je me doutais que ce ne serait plus très long. Ils avaient fermé les yeux tous les deux et je les ai imités pour me concentrer sur le bonheur que me donnaient leurs queues – celle de

Michel glissait avec la régularité d'un métronome dans mon cul et celle de Jacques que je branlais tout en la suçant.

Tout à coup, leurs mains se sont crispées sur moi... Nous avons joui comme des fous et ça a duré les trois derniers jours de mes vacances. Enfin, je suis revenue à Montréal comblée...

Claudia

Table des matières

Marquis imprimeur inc.

Québec, Canada
2009